296

DM 9/08

SW

TEITHIAU CAR

Hoffwn ddiolch i Mam a Dad a Branwen am roi blas i mi ar grwydro er pan oeddwn yn ifanc iawn; i Janet, fy ngwraig, am ei hamynedd wrth i mi grwydro ac ysgrifennu; ac i 'Llewgoch', y Fiesta bach coch a lithrodd i'r clawdd yn yr eira wrth fynd â mi ar fy nhaith drwy Sir Drefaldwyn. Mae arna i ddyled fawr i Wolfgang Greller hefyd, Awstriad sy'n adnabod Cymru mor dda. Diolch i Glenys am ei gwaith fel golygydd.

Argraffiad cyntaf: Tachwedd 1994

℗ Y Lolfa Cyf./Siôn Meredith 1994

Cedwir pob hawl. Ni chaniateir atgynhyrchu unrhyw ran o'r cyhoeddiad hwn na'i gadw mewn cyfundrefn adferadwy na'i drosglwyddo mewn unrhyw ddull na thrwy unrhyw gyfrwng, electronig, electromagnetig, tâp magnetig, mecanyddol, ffotogopïo, recordio, nac fel arall, heb ganiatâd ysgrifenedig y cyhoeddwyr.

Comisiynwyd y gyfres hon gan Y Cyngor Llyfrau Cymraeg.

Cynllun clawr: Elgan Davies

Rhif Llyfr Rhyngwladol: 0 86243 327 4

Argraffwyd a chyhoeddwyd yng Nghymru gan Y Lolfa Cyf., Talybont, Ceredigion SY24 5HE; ffôn (01970) 832 304, ffacs 832 782.

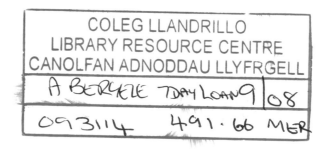

Hwylio 'Mlaen

TEITHIAU CAR

Siôn Meredith

Golygydd: Glenys M. Roberts

y Lolfa

CYNNWYS

TAITH UN

Wrth sefyll yng nghaer Segontium yng Nghaernarfon, fe welwch chi ynys fawr ar draws y dŵr. Mae'r ynys hon yn llawn o ryfeddodau i blant o dan gant, felly dewch gyda fi i chwilio am hud a rhamant **Ynys Môn.**

Mae llawer o enwau ar Ynys Môn. 'Môn Mam Cymru' yw'r enw mwyaf enwog. Roedden nhw'n dweud bod digon o wenith ym Môn i fwydo Cymru gyfan. Mae pobl y tir mawr yn galw Ynys Môn yn 'Wlad y Medra'. Pam? Ystyr 'medra' ydy *I can/I am able*, o'r ferf 'medru'. Erstalwm, roedd pobl yn mynd o Ynys Môn i chwilio am waith ar y tir mawr. Pan oedd y ffermwr yn gofyn 'fedri di gneifio' (*can you shear a sheep?*) roedd y llanc o Fôn yn siŵr o ateb 'medra'. 'Fedri di ddilyn yr og?' 'Medra.' 'Fedri di odro?' 'Medra.' Roedd pobl Môn yn 'medru' gwneud popeth o dan haul er mwyn cael gwaith!

'Mona' oedd enw'r Rhufeiniaid ar yr ynys. 'Sir Fôn' ydy'r enw hyd heddiw i'r rhan fwyaf o drigolion yr ynys. 'Sir Fôn' oedd yr enw swyddogol tan 1974, pan ddaeth yr ynys yn rhan o Wynedd. Mae'n debyg mai 'Sir Fôn' fydd yr enw swyddogol unwaith eto wrth i'r Llywodraeth ad-drefnu cynghorau lleol. Mae pobl Môn yn annibynnol iawn. Maen nhw'n rhoi digon o groeso i bobl o'r tir mawr, ond peidiwch â cheisio eu newid nhw!

Yng **Nghaernarfon** (*Caer-Saint-yn-Ar-Môn*) mae'r daith yn cychwyn. Aeth yr enw Lladin Segontium yn Segeint yn y Frythoneg ac yna yn Seint/Saint yn y Gymraeg. Ble mae'r gaer? Na, na nid y castell mawr ar y cei. Mae caer arall yma. Ewch ar ffordd Beddgelert allan o ganol Caernarfon, a chyn gadael y dref, fe welwch chi gaer Segontium (SH485/624) ar y chwith. Segontium yw hen gaer y Rhufeiniaid.

Cafodd y gaer ei chodi tua OC 70-80 pan ymosododd Julius Agricola ar ogledd Cymru. Arhosodd y Rhufeiniaid yma am dros 300 mlynedd. Yn ôl y chwedl, cafodd y Rhufeiniaid eu symud gan Magnus Maximus (Macsen Wledig) yn OC 383 ond mae archaeolegwyr heddiw'n dweud bod y Rhufeiniaid wedi aros yma ychydig yn hirach na hynny. Cafodd y gaer ei chodi ar chwe acer o dir ar gyfer 1,000 o filwyr. Gallwch chi ddysgu mwy am Segontium yn yr amgueddfa ar y safle.

Er bod Ynys Môn yn agos iawn i Gaernarfon, fedrwch chi ddim croesi'n uniongyrchol os nad oes gyda chi gwch. Mae'n rhaid i chi fynd ar hyd y glannau a chroesi **Pont Britannia**. Cyn 1982, doedd hi ddim yn bosib croesi Pont Britannia yn y car. Pont y rheilffordd oedd hi'n wreiddiol, ac mae'r trenau'n dal i groesi'r bont heddiw ar eu ffordd rhwng Llundain a Chaergybi. Os ewch chi ar y trên, fe welwch chi ddau lew tew wedi'u cerfio o garreg y ddwy ochr i'r bont. Cafodd y bont ei chodi yn 1850 gan Robert

---

G E I R F A

caer	fort
rhyfeddod(au)	wonder(s)
hud	magic
rhamant	romance
enwau ar	names for
gwenith	wheat
y tir mawr	the mainland
berf	verb
og	harrow
godro	to milk
trigolion	inhabitants
swyddogol	official
ad-drefnu	to reorganize
annibynnol	independent
ymosod	to attack
OC = Oed Crist	AD, Anno Domini
amgueddfa	museum
safle	site
er + bod	although
uniongyrchol	direct
y glannau	the coast

Stephenson. Aeth y bont ar dân yn 1970 oherwydd bod dau fachgen wedi cynnau tân er mwyn chwilio am ystlumod. Edrychwch ar y dde wrth groesi'r bont, ac fe welwch chi bont arall, sef **Pont Menai, neu Bont y Borth** fel mae hi'n cael ei galw gan y bobl leol. Dw i'n cofio dathlu pen blwydd y bont yma yn 150 oed yn 1976, pan aeth y 'goets fawr' o Lundain drosti unwaith eto, yn cario'r post i Gaergybi. Cafodd y bont ei chynllunio gan Thomas Telford. Costiodd £120,000 i'w chodi.

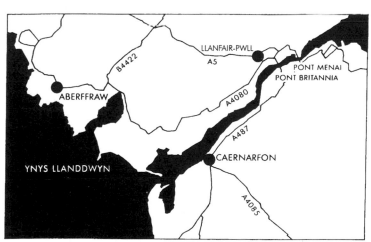

Cafodd englyn enwog ei ysgrifennu am y bont gan Dewi Wyn o Eifion (1784-1841):

Uchelgaer uwch y weilgi — gyrr y byd
Ei gerbydau drosti.
Chwithau, holl longau y lli,
Ewch o dan ei chadwyni.

Yn union ar ôl croesi Pont Britannia, trowch ar y chwith i **Lanfair-pwll**. Mae'r pentref hwn yn enwog iawn am ei enw hir – **Llanfair-pwllgwyn-gyll-gogerychwyrndrobwll-llantysilio-gogogoch**. Hwn ydy'r enw hiraf yn Ewrop. Cafodd ei ddefnyddio gyntaf yn y 19eg ganrif. Mae miloedd o dwristiaid yn dal i ddod yma bob blwyddyn! Cyn dod i mewn i'r pentref, fe welwch chi Dŵr y Marcwis ar y dde. Cafodd y tŵr 35 metr ei godi yn 1816-17 fel teyrnged i arwr brwydr Waterloo, Marcwis Môn. Mae'n bosib i chi fynd i mewn iddo a dringo i ben y tŵr i edrych yn ôl ar Sir Gaernarfon. (Ond peidiwch â mynd i fyny os oes ofn

uchder arnoch chi.) Ar y chwith wrth ddod i mewn i Lanfair-pwll, fel welwch chi hen dollborth. Roedden nhw'n arfer codi tollau yma tan 1895. Mae'n rhaid i chi droi ar y chwith yma a dilyn yr A4080 i gyfeiriad Brynsiencyn (os nad oes arnoch chi eisiau edrych yn gyntaf ar bentref Llanfair-pwll, yr orsaf reilffordd a'r ganolfan ymwelwyr).

Rydyn ni'n mynd yn awr i weld **Bryn Celli Ddu** *(the mound of the dark grove)* (SH508/702), siambr gladdu

GEIRFA

cynnau	to light
ystlum(od)	bat(s)
y goets fawr	the mail coach
cynllunio	to design
englyn	traditional Welsh poem
weilgi = môr	
gyrr y byd = mae'r byd yn gyrru	
cerbyd(au)	vehicle(s)
chwithau	you also
lli	ocean
cadwyn(i)	chain(s)
yn union	directly
teyrnged	tribute
arwr	hero
brwydr	battle
uchder	height
tollborth	tollgate
toll(au)	toll(s)
siambr gladdu	burial chamber

GEIRFA

datguddio	to reveal
cylch pridd	circular henge
maen (meini)	stone(s)
clawdd	bank
aberthu	to sacrifice
addurno	to decorate
nawdd santes	patron saint (female)
cynnal	to hold
dathlu	to celebrate
dilyn	to follow
penrhyn	promontory, peninsula
llanw	tide
ynysu	to isolate
ôl (olion)	trace(s), remain(s)

GWEITHGAREDDAU

1. Pili Palas, Porthaethwy. 0248 712474. Agored Mawrth-Tachwedd.
2. Sŵ Môr Môn, Brynsiencyn. 0248 430411. Agored drwy'r flwyddyn.
3. Oriel Môn, Llangefni. 0248 724444. Agored drwy'r flwyddyn.

Pont Menai (Magma Môn)

o'r Oes Neolithig (tua 2,000 CC). Dilynwch yr A4080 heibio i Blas Newydd, yna ar ôl ¾ milltir, trowch ar y dde ac ewch i gyfeiriad Llanddaniel-fab am ¾ milltir. Bydd yn rhaid i chi barcio'r car ar ochr y ffordd a cherdded i lawr lôn y fferm i weld y siambr gladdu. Mae llawer o siambrau claddu eraill fel Bryn Celli Ddu yng ngorllewin Cymru, yn arbennig ar Ynys Môn a Sir Benfro. Byddwn yn mynd i weld siambr gladdu arall ar ddiwedd y daith hon, sef Barclodiad y Gawres. Mae taith arall (Taith Naw) yn mynd â chi i weld

Pentre Ifan yn Sir Benfro. Bu archaeolegwyr yn gweithio yn Mryn Celli Ddu yn 1928, ac maen nhw wedi datguddio rhai o'r hen olion. Y cylch pridd oedd yma yn gyntaf, gyda chylch o feini y tu mewn iddo. Cafodd y rhain eu codi tua 3,000 CC. Mae rhai o'r meini hyn yn dal i sefyll yma. Cafodd y siambr gladdu ei chodi yn fwy diweddar y tu mewn i'r clawdd. Roedden nhw'n arfer aberthu anifeiliaid yma. Roedd carreg wedi'i haddurno yn arfer sefyll y tu ôl i'r siambr, ac mae'r garreg wreiddiol yn Amgueddfa Genedlaethol Cymru yng Nghaerdydd erbyn hyn.

Un o'r llefydd mwyaf enwog ym Môn yw **Ynys Llanddwyn** (SH 38/63). Hon yw ynys Santes Dwynwen, nawdd santes cariadon Cymru. Mae Dydd Gŵyl Santes Dwynwen yn cael ei gynnal ar 25 Ionawr ac mae'r Cymry wedi ailddechrau dathlu'r Ŵyl yn ddiweddar. Os ydych chi'n rhamantus, anfonwch gerdyn Dwynwen a chopi o'r llyfr hwn at eich cariad ar 25 Ionawr! Dilynwch yr A4080 i Niwbwrch a throwch ar y chwith yng nghanol y pentref.

Dilynwch y ffordd hon drwy'r goedwig at lan y môr (traeth Llanddwyn). Bydd yn rhaid i chi dalu am barcio, a dydy hi ddim yn bosib mynd â bws i lawr drwy'r goedwig. Ar ôl i chi barcio'r car, cerddwch ar hyd y traeth i'r gorllewin i Ynys Llanddwyn. Penrhyn yw Ynys Llanddwyn fel arfer, ond pan mae'r llanw'n uchel iawn, mae'r penrhyn yn cael ei ynysu. Peidiwch â phoeni, dydy hynny ddim yn digwydd yn aml! Ar yr 'ynys' mae'n bosib gweld olion eglwys Dwynwen a chroes Geltaidd a gafodd ei chodi yn 1903.

Pwy oedd Dwynwen?

Roedd Dwynwen yn ferch i Brychan, tywysog a sant yn y 5ed ganrif. Roedd hi mewn cariad â Maelon, ond roedd ei thad wedi addo ei rhoi yn wraig i rywun arall. Gweddïodd Dwynwen ar Dduw y byddai hi'n cael ei rhyddhau o rwymau cariad. Pan gafodd moddion arbennig ei baratoi gan angel, fe droiodd Maelon yn dalp o rew a chollodd Dwynwen ei chariad tuag ato. Yna cafodd Dwynwen dri dymuniad. Fe ddymunodd hi y byddai Maelon yn cael ei ddadmer, na fyddai'n rhaid iddi hi briodi neb arall, ac y byddai hi'n cael ei gwneud yn nawdd santes y cariadon. Felly aeth Dwynwen i draeth unig ar Ynys Môn yn OC 465 i sefydlu eglwys. Am gannoedd o flynyddoedd ar ôl hynny, roedd llawer o gariadon yn arfer ymweld â'r eglwys er mwyn dod â'u gofidiau at Dwynwen. Roedd y cariadon yn ceisio gweld eu dyfodol wrth edrych ar symudiadau'r pysgod bach yn y dŵr ffres sy ar yr ynys.

Mae llawer o bethau i chi eu gweld ar Ynys a Thraeth Llanddwyn. Beth am fynd i weld y goleudy a'r Tai Peilot? Roedd y peilotiaid yn arfer llywio'r llongau allan o Fae Caernarfon, ac roedden nhw hefyd yn gofalu am y bad achub.

Mae Llanddwyn yn rhan o'r

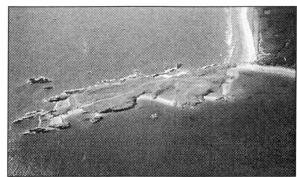

Ynys Llanddwyn o'r awyr (Magma Môn)

Warchodfa Natur Genedlaethol. Mae llawer o adar a phlanhigion diddorol yma. Byddai'n hawdd iawn i chi dreulio diwrnod cyfan yma, yn yr haf neu'r gaeaf. Roeddwn i'n arfer dod yma'n aml pan oeddwn i'n blentyn, ac roeddwn i'n mwynhau chwarae yn y twyni tywod. Rwy'n cofio dod yma am dro gyda'r teulu ar Ddydd Gŵyl San Steffan. Tynnodd fy nhad ei sanau a'i esgidiau ac aeth i drochi ei draed yn y môr. Am ryw reswm, wnaeth neb arall yr un peth.

Wrth edrych i'r de o Landdwyn, fe

welwch chi fynydd yr Eifl a'i dri phigyn ar benrhyn Llŷn. Ar yr ochr arall i'r Eifl mae Nant Gwrtheyrn lle mae'r Ganolfan Iaith Genedlaethol.

Ewch yn ôl at yr A4080 yng nghanol Niwbwrch, a throwch ar y chwith i gyfeiriad Aberffraw ('Berffro' mae pawb yn ei ddweud ym Môn). Yn Aberffraw mae Canolfan Treftadaeth Glannau Môn. Llys Llywelyn yw enw'r ganolfan. Llywelyn Fawr (1173-1240) yw'r Llywelyn hwn.

Pwy oedd Llywelyn Fawr?

Tywysog Gwynedd oedd Llywelyn Fawr (Llywelyn ap Iorwerth), ac roedd ei brif lys yn Aberffraw. Llywelyn oedd y tywysog mwyaf pwerus yng Nghymru yn yr Oesoedd Canol. Fe ddaeth e'n ffrindiau gyda John, Brenin Lloegr, ac yn 1205 fe briododd Llywelyn â Siwan, merch y Brenin John. Yn 1209 fe ymunodd Llywelyn â John mewn brwydr yn erbyn William, Brenin yr Alban. Ond yn 1210 daeth eu cyfeillgarwch i ben. Ymosododd John ar Wynedd, ac roedd yn rhaid i Llywelyn ildio iddo. Ond fe lwyddodd Llywelyn i ennill tir yn ôl rhwng 1212 ac 1216. Yn 1216, roedd Llywelyn yn ben ar Senedd Gymreig yn Aberdyfi. Yn ôl yr hanes, cysgodd Siwan, gwraig Llywelyn, gyda Gwilym Brewys, Arglwydd Normanaidd, ac am hynny fe gafodd Gwilym druan ei grogi. Doedd hi ddim yn syniad da iawn i chwarae gyda gwraig Tywysog Gwynedd!

Rhodri Mawr (9fed ganrif) – sefydlu Llys Aberffraw yn 870
|

Bryn Celli Ddu (Magma Môn)

Llywelyn ap Iorwerth (Llywelyn Fawr)
1173-1240
|
Gruffudd ap Llywelyn
|
Llywelyn ap Gruffudd (Llywelyn ein Llyw Olaf)
c.1225-1282

Sefydlwyd llys yn Aberffraw yn OC 870 pan oedd Rhodri Mawr yn rheoli Gwynedd, Ceredigion a rhannau o Bowys a de Cymru. Fe gafodd y Cymry eu trechu gan y Normaniaid pan laddwyd ŵyr Llywelyn ap Iorwerth, sef Llywelyn ap Gruffudd ('Llywelyn ein Llyw Olaf') yn 1282. Cafodd pen Llywelyn ein Llyw Olaf ei gario i Lundain gan y Normaniaid. Dyna pryd y daeth Edward I i Gymru a chodi cestyll yng Nghonwy,

Biwmares, Caernarfon a Harlech.

Mae arddangosfa a theatr glywedol yn Llys Llywelyn am dywysogion Gwynedd ac am fyd natur ar lannau Môn. Mae caffi, siop a gweithdai crefft yno hefyd. Mae Llys Llywelyn yn agored i'r cyhoedd rhwng mis Mai a diwedd Medi. Mae'n bosib mynd yno yn y gaeaf os gwnewch chi drefnu ymlaen llaw. (Ffoniwch 0407 840845 i wneud yn siŵr y bydd y ganolfan yn agored ar y diwrnod yr hoffech chi fynd yno.)

Os oes gennych chi amser, ewch drwy sgwâr hynafol Aberffraw a dilynwch ffordd gul am un filltir i **Borth Cwyfan**. Yma fe welwch chi Eglwys Sant Cwyfan yn sefyll ar graig uchel ar ymyl y traeth. Pan mae'r llanw'n uchel, mae'r eglwys yn cael ei hynysu.

Barclodiad y Gawres (the apron-ful of the giantess) (SH 329/707) yw pen y daith. Mae'n debyg fod y siambr gladdu hon ychydig yn hŷn na Bryn Celli Ddu. Dilynwch yr A4080 eto am ddwy filltir i'r gogledd o Aberffraw, a pharciwch y car ym Mhorth Trecastell (Cable Bay).

Tra mae'r plant yn chwarae ar lan y môr, ewch ar hyd y llwybr uwchben y traeth i weld Barclodiad y Gawres.

Mae'n debyg fod y Siambr Gladdu hon yn gopi o siambrau claddu fel New Grange yn Nyffryn Boyne yn Iwerddon. Cafodd y Siambr ei darganfod gan archaeolegwyr yn 1952-3, ac erbyn hyn maen nhw wedi ailadeiladu rhan o'r siambr ar yr un patrwm â'r gwreiddiol. Mae pump o gerrig wedi'u cerfio ag addurniadau yng nghyntedd y siambr, ac maen nhw'n werth eu gweld. Maen nhw'n esiamplau gwych o gelf megalithig. Roedd seremonïau'n arfer cael eu cynnal yma i aberthu anifeiliaid.

Er bod y daith yn dod i ben yma, peidiwch â brysio adref! Mae cymaint i'w weld a chymaint i'w wneud ym Môn. Arhoswch yma am sbel. Siaradwch gyda phobl Môn. Ewch i'r tai bwyta a'r tafarndai, y capeli a'r eglwysi ac i weld y creigiau, y traethau a'r porthladdoedd. Ac wrth i chi groesi'n ôl dros Bont Menai, dywedwch, gyda bardd mwyaf Môn, Goronwy Owen (1723-69):

> Henffych well, Fôn, dirion dir,
> Hyfrydwch pob rhyw frodir.
> Goludog, ac ail Eden
> Dy sut, neu Baradwys hen.

GEIRFA

arddangosfa	exhibition
clywedol	audio-visual
cyhoedd	public
trefnu	to arrange
ymlaen llaw	in advance
hynafol	ancient
hŷn	older
darganfod	to discover
addurniadau	decorations
cyntedd	entrance
celf	art
henffych well	hail!
tirion	gentle, fair
hyfrydwch	marvel
brodir	area
goludog	rich
ail Eden	second Eden
sut	form
paradwys	paradise
cylchdro	roundabout

BWYD

1. Gwesty Glan-traeth, Bodorgan. 0407 840401.
2. Tŷ Golchi, Bangor (ger cylchdro'r Faenol ar yr A487). 0248 671542.

TAITH DAU

GEIRFA

blas ar	*flavour of*
cefn gwlad	*the countryside*
ymwelydd (ymwelwyr)	*visitor(s)*
cei	*quay, harbour*
cyhoeddi	*to publish*
dymchwel	*to demolish*
gwŷr amlwg	*prominent men*
golygu	*to edit*
Athro	*Professor*
y wasg	*the press*
cylchgrawn (cylchgronau)	*magazine(s)*
awyrgylch	*atmosphere*
syndod	*surprise*
pererin(ion)	*pilgrim(s)*
pererindod	*pilgrimage*

Os oes arnoch chi eisiau cael blas ar fywyd Arfon, ewch i'r Maes yng **Nghaernarfon**. Mae'r holl fyd yn cyfarfod yma; pobl cefn gwlad a phobl y dref, yr ymwelwyr a'r bobl leol. Mae yna fynd a dod drwy'r amser wrth i'r bysys Crossville a Clynnog & Trefor gario pobl at eu gwaith a'r siopau. Mae bysys yr ymwelwyr (neu'r *fisitors* fel maen nhw'n cael eu galw) yn parcio ar y cei o dan y Castell.

Y papur Cymraeg pwysicaf yng Ngwynedd heddiw ydy'r *Herald Cymraeg*. Roedd yr *Herald* yn arfer cael ei gyhoeddi mewn adeilad ar y Maes (ers 1855). Ond cafodd yr adeilad ei losgi yn yr 1980au, ac erbyn heddiw maen nhw wedi ei ddymchwel. Mae swyddfa'r *Herald* wedi symud i Stryd y Porth Mawr. Mae llawer o wŷr amlwg wedi bod yn golygu'r *Herald*, gan gynnwys T. Gwynn Jones (1871-1949). Roedd T. Gwynn Jones yn fardd da iawn ac fe fuodd e'n Athro Cymraeg yng Ngholeg Aberystwyth. Ar ddiwedd y 19eg ganrif, Caernarfon oedd prif-ddinas y wasg Gymraeg. Roedd 14 o bapurau a chylchgronau'n cael eu cyhoeddi yma cyn y Rhyfel Byd Cyntaf.

Cyn gadael Caernarfon beth am

dorri syched yn awyrgylch Cymraeg un o'r caffis ar y Maes neu yng Nghaffi'r Cei yn Stryd y Porth Mawr?

Ewch allan o Gaernarfon ar yr A487 ac yn **Llanwnda** ewch ymlaen ar yr A499 i bentref **Clynnog Fawr**. Mae hi'n syndod gweld eglwys mor fawr mewn pentref mor fach. Roedd Eglwys Sant Beuno, Clynnog yn un o'r eglwysi pwysicaf ar Ffordd y Pererinion. Roedd llawer o bobl yn arfer mynd ar bererindod o Fangor i Ynys

Enlli, ac roedden nhw'n sicr o aros yng Nghlynnog i addoli a gorffwys. Mae'r eglwys sy'n sefyll yma heddiw bron yn bedwar can mlwydd oed, ond sefydlodd Sant Beuno gell yma yn y 7fed ganrif. Mae'r eglwys yn y dull *perpendicular* ac mae hi'n olau iawn y tu mewn. Mae arddangosfa yn yr eglwys sy'n esbonio ychydig ar ei hanes. Mae hen garchar yn yr eglwys hefyd! Mae'r hen garchar, neu'r gell fechan, rhwng Capel Beuno a thŵr yr eglwys. Roedd hi'n haws cloi meddwyn yn y 'Rheinws' na mynd ag ef yr holl ffordd i Gaernarfon!

Mae Eben Fardd (Ebenezer Thomas, 1802-63) wedi ei gladdu yn y fynwent. Buodd Eben Fardd yn byw yng Nghlynnog am y rhan fwyaf o'i oes – fe oedd athro'r pentref. Roedd Eben Fardd yn werinwr a addysgodd ei hun. Roedd e'n fardd poblogaidd iawn yn ei gyfnod, ac mae rhai o'i emynau'n cael eu canu mewn capeli ac eglwysi ledled Cymru heddiw. Ond yn ôl safonau heddiw doedd e ddim yn fardd arbennig o dda. Roedd e'n ysgrifennu yn nhraddodiad yr arwrgerdd, ac roedd honno'n fardd-oniaeth hirwyntog a diflas ar y cyfan. Cafodd y bardd fywyd trist. Fe gollodd ei wraig a dwy o'i ferched.

Cyn i chi ddechrau crio mewn cydymdeimlad ag Eben Fardd, neidiwch yn ôl i'r car ac ewch ymlaen ar yr A499 i **Lanaelhaearn**. Ar y llaw dde fe welwch hi fynydd yr Eifl a'i dri chopa a **Thre'r Ceiri** (SH 374/448). Y tu ôl iddynt mae Cwm Nant Gwrtheyrn. Mae'r 'Nant' yn enwog erbyn heddiw oherwydd bod Canolfan Iaith Genedlaethol wedi cael ei sefydlu yno. Mae miloedd o bobl yn mynd yno bob blwyddyn i ddysgu ac ymarfer y Gymraeg. Mae dwy gân werin am y Nant, sef 'Cwm Nant Gwrtheyrn' gan Ac Eraill a 'Gwlad heb iaith, gwlad heb galon' sy'n cael ei chanu gan Mabsant. Mae Tre'r Ceiri yn fryngaer bwysig a dramatig iawn o'r Oes Haearn. Bu pobl yn byw ar gopa'r bryn yma hyd at gyfnod y Rhufeiniaid, ac mae'r garn ar y

Canolfan Iaith Nant Gwrtheyrn a'i staff

GEIRFA

addoli	to worship
gorffwys	to rest
sefydlu	to found, to establish
cell	cell
dull	style
arddangosfa	exhibition
esbonio	to explain
carchar	prison
meddwyn	drunkard
rheinws	gaol
wedi ei gladdu	buried
mynwent	graveyard
gwerinwr	ordinary man
addysgu	to educate
cyfnod	period
emyn(au)	hymn(s)
ledled	throughout
safon(au)	standard(s)
traddodiad	tradition
arwrgerdd	epic poem
hirwyntog	longwinded
cydymdeimlad	sympathy
copa	peak
bryngaer	hill fort
carn	cairn

GEIRFA

yr Oes Efydd	the Bronze Age
ôl (olion)	trace(s)
cytiau Gwyddelod	'Irish huts' (prehistoric remains)
adfer	to restore
cyflwr	condition
cyfres	series
dant (dannedd)	tooth (teeth)
coroni	to crown
cerdd	poem
o olwg	away from the sight of
Cynnydd	Progress
bro	area, land
heb	without
staen	stain
craith	scar
arad	plough
ffridd	pasture
rhwygo	to tear
pêr	sweet
pridd	soil
llonydd gorffenedig	perfected stillness
arwydd	sign
delfrydol	ideal
prysurdeb	busyness
dychmygu	to imagine
'enaid hoff cytûn'	dear soulmate
cynllunio	to plan, to design
gwasanaethu	to serve
aber	confluence
enwocaf (enwog)	most famous
mam weddw	widowed mother

copa'n perthyn i'r Oes Efydd. Mae olion 'cytiau Gwyddelod' i'w gweld yma, ac mae Cyngor Dosbarth Dwyfor wedi bod yn adfer y rhain a'u cadw nhw mewn cyflwr da ar gyfer ymwelwyr. O Dre'r Ceiri fe allwch chi edrych i lawr ar bentref Trefor, lle cafodd y gyfres 'Minafon' ei ffilmio ar gyfer S4C yng nghanol yr 1980au. Mae yna banorama gwych yma o Ynys Môn a Phen Llŷn. Dychmygwch y bobl a oedd yn byw yma 3,000 o flynyddoedd yn ôl yn nannedd y gwynt yn y gaeaf! Mae dwy fryngaer arall i'w gweld o Dre'r Ceiri hefyd, sef Garn Fadryn a Garn Boduan ac mae carnau'n coroni bron pob copa rydych chi'n ei weld.

Un o feirdd mwyaf poblogaidd yr 20fed ganrif ydy R. Williams Parry (1884-1956) o Dal-y-sarn yn Nyffryn Nantlle. Ysgrifennodd e gerdd enwog iawn yn sôn am y **Lôn Goed** ('Eifionydd'):

O olwg hagrwch Cynnydd
   Ar wyneb trist y Gwaith
Mae bro rhwng môr a mynydd
   Heb arni staen na chraith,
Ond lle bu'r arad' ar y ffridd
Yn rhwygo'r gwanwyn pêr o'r pridd.

Beth am ddilyn R. Williams Parry i weld 'llonydd gorffenedig' y Lôn Goed? O Lanaelhaearn, dilynwch yr A499 i'r Ffôr. Yng nghanol pentref y Ffôr, trowch i'r chwith a dilynwch y ffordd i Chwilog. Mae'r Lôn Goed yn croesi'r ffordd hon yn syth ar ôl i chi fynd allan o Chwilog, ger fferm Llwyn Annas (SH 442/381). Mae arwydd y Lôn Goed ar ochr y ffordd. Dyma le delfrydol i fynd am dro a dianc oddi wrth brysurdeb y byd, gan ddychmygu R. Williams Parry yn cerdded yma gydag 'enaid hoff cytûn'. Cafodd y Lôn Goed ei chynllunio gan Sais o'r enw John Maughan yn y 19eg ganrif. Roedd y Lôn yn gwasanaethu ffermydd unig yr ardal. Mae'r Lôn bedair milltir a hanner o hyd ac mae'n mynd o aber Afon Wen i Fynydd y Cennin.

Un o ddynion enwocaf Cymru yn yr ugeinfed ganrif oedd David Lloyd George, Prif Weinidog Prydain rhwng 1916 ac 1922. Cafodd Lloyd George ei fagu yn **Llanystumdwy** gan ei fam weddw a'i ewythr. Felly neidiwch i mewn i'r car ac ewch ymlaen i Lan-ystumdwy (ar yr A497 rhwng Pwllheli a Chricieth).

Yn Llanystumdwy fe allwch chi ymweld ag Amgueddfa Lloyd George.

Cartref Lloyd George (Archif Gwynedd)

Mae yno arddangosfa ddwyieithog a sioe glywedol yn y Gymraeg a'r Saesneg. Hefyd fe allwch chi fynd i weld Highgate, y bwthyn lle cafodd Lloyd George ei fagu rhwng 1864 ac 1880. Crydd oedd ei ewythr, ac mae'r gweithdy a'r bwthyn wedi eu haddurno yn union fel roedden nhw ar ddiwedd y ganrif ddiwethaf.

Roedd Lloyd George yn arwr mawr i nifer o Gymry, ac mae llawer o bobl yn dal i gofio'n annwyl amdano. Mae'n sicr ei fod erbyn hyn yn un o arwyr gwerin Cymru. Fo oedd yn gyfrifol am sefydlu pensiwn gwladol i hen bobl ac yswiriant iechyd cenedl-aethol. Roedd Lloyd George hefyd yn aelod o Fudiad Cymru Fydd *(Young Wales)* yn yr 1890au. Roedd Cymru Fydd eisiau hunan-lywodraeth i Gymru. Ond doedd e ddim mor boblog-aidd yng Ngogledd Iwerddon ar ôl i Weriniaeth Iwerddon gael ei sefydlu yn 1921 gan gadw'r chwe sir yn y gogledd o fewn Prydain.

Daeth arweinwyr y byd i Lan-ystumdwy ym mis Mawrth 1945 i gladdu Lloyd George ar lan afon Dwyfor.

Mae'r daith hon yn gorffen yng **Nghricieth**. Ar y daith i Ynys Môn (Taith Un) dw i'n sôn am englyn Dewi Wyn o Eifion i Bont Menai. Llinell gyntaf yr englyn ydy 'Uchelgaer uwch y weilgi' *(A high fort above the sea)*. Yn ôl y sôn, roedd Dewi Wyn o Eifion wedi dwyn y llinell hon gan Twm o'r Nant. Roedd Twm o'r Nant wedi

GWEITHGAREDDAU

1. Amgueddfa Lloyd George, Llanystumdwy. 0766 522071. Agored: Pasg-Hydref.
2. Canolfan Hamdden Dwyfor, Pwllheli. 0758 613437.

GEIRFA

traeth(au)	beach(es)
bryncyn = bryn bach	
cyfeiriad	reference
Brut y Tywysogion	Welsh Chronicle of the Princes
carcharu	to imprison
meddiannu	to occupy
ymosod ar	to attack

BWYD

1. Gwesty Bron Eifion, Cricieth. 0766 522385.
2. Y Goat, Bryncir (ar yr A487). 0766 675 237.

Castell Cricieth (Y Bwrdd Croeso)

defnyddio'r llinell i ddisgrifio Castell Cricieth, nid Pont Menai. Mae'r castell yn sefyll yn ddramatig ar fryn uwchben y dref, ac o'r castell fe allwch chi weld traethau Pen Llŷn tua'r gorllewin a Harlech tua'r dwyrain. Disgrifiodd Gruffudd Parry'r castell fel 'corcyn potel inc ar ben bryncyn' yn ei lyfr gwych *Crwydro Llŷn ac Eifionydd*! Cafodd y castell ei godi gan Llywelyn Fawr ar ddechrau'r 13eg ganrif. Mae'r cyfeiriad cyntaf at y castell yn *Brut y Tywysogion*. Mae'r Brut yn dweud bod Dafydd ap Llywelyn wedi carcharu ei hanner brawd, Gruffudd, yn y castell yn 1239. Cafodd y castell ei feddiannu gan Edward I yn 1283 ar ôl i Llywelyn ap Gruffudd, Tywysog Gwynedd, gael ei ladd gan y Normaniaid. Gwariodd Edward I tua £500 i gryfhau'r castell. Daeth hanes y castell i ben yn 1404 pan gafodd ei feddiannu gan filwyr Owain Glyndŵr. Fe ymosodon nhw ar y castell a'i losgi.

Ond nid y castell ydy'r unig beth sy'n denu pobl i Gricieth. Wrth ymyl y castell mae siop hufen iâ enwog Cadwaladr. Maen nhw'n gwneud hufen iâ cartref bendigedig. Er bod ganddyn nhw siopau ym Mhwllheli a Phorthmadog, yng Nghricieth mae'r hufen iâ gorau, ac yng Nghricieth maen nhw'n gwneud yr hufen iâ. Felly os oes arnoch chi eisiau pryd o fwyd traddodiadol Gymreig ar ddiwedd eich taith, prynwch bysgod a sglodion a hufen iâ Cadwaladr a bwyta ar y prom neu ar y traeth yng Nghricieth.

TAITH TRI

Mae'n rhaid i ni weld dau adeilad arall cyn gadael y Maes yng **Nghaernarfon**. Ewch o'r Maes ar hyd Pen Deitsh, gyda'r castell ar y chwith i chi, a throwch ar y dde i lawr Stryd y Jêl. Ar y stryd hon mae Swyddfa'r Sir. Cafodd yr adeilad hardd modern ei gynllunio gan y pensaer, Dewi Prys Thomas, a hwn oedd un o'r adeiladau olaf iddo eu cynllunio cyn iddo fe farw. Ers iddo gael ei sefydlu yn 1974, mae Cyngor Sir Gwynedd wedi cefnogi'r iaith Gymraeg yn dda iawn, yn arbennig drwy'r polisi addysg.

Ar gornel Stryd y Jêl mae'r Brawdlys. Bu tri gŵr enwog iawn o flaen y barnwr yn y llys hwn yn 1936, sef Saunders Lewis, D. J. Williams a Lewis Valentine. Roedden nhw wedi llosgi rhan o'r Ysgol Fomio ym Mhenyberth ger Pwllheli fel protest. Roedden nhw'n anhapus fod Llywodraeth Prydain wedi dechrau codi'r Ysgol Fomio. Mae

Penyberth (SH 33/34) yn lle pwysig iawn yn hanes diwylliannol Cymru; roedd teulu o Gatholigion yn byw yno yn yr 16eg ganrif a'r 17eg ganrif. Ar ôl llosgi'r Ysgol Fomio, aeth y tri gŵr enwog yn syth at yr heddlu i gyfaddef. Roedd canlyniad yr achos llys yn hanesyddol. Roedd y barnwr yn ddi-Gymraeg a'r rheithgor yn Gymry Cymraeg. Doedden nhw ddim yn gallu cytuno ar ddedfryd, felly fe gafodd y tri eu rhyddhau. Roedd torf enfawr o bobl yn aros amdanyn nhw y tu allan i'r llys, ac roedd pawb yn dathlu. Ond dydy'r stori ddim yn

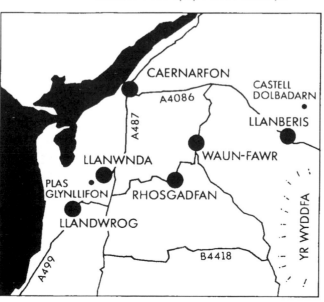

GEIRFA

maes	'square'
cynllunio	to plan, to design
pensaer	architect
olaf	final, last
sefydlu	to establish
cefnogi	to support
brawdlys	court of law
barnwr	judge
llys	court
Ysgol Fomio	'Bombing School' (RAF training camp)
diwylliannol	cultural
cyfaddef	to own up, to admit
canlyniad	result
achos llys	court case
rheithgor	jury
dedfryd	verdict
torf enfawr	huge crowd
dathlu	to celebrate

GWEITHGAREDDAU

1. Snowdonia Riding Stables, Waun-fawr. 028685 342.
2. Rheilffordd yr Wyddfa. 0286 870223. Agored o ganol Mawrth tan ddiwedd Hydref.

gweinidog yr Efengyl	minister of the Gospel
dyrchafwn	we lift up
gwinllan	vineyard
a roed	which was given
d'amddiffyn	your protection
a'i cadwo	may it keep her
ffyddlon	loyal
byth	for ever
boed	let
nyth	nest
er mwyn	for the sake of
a'i prynodd	who bought her
crea	create
ar Dy lun	in Thy image
etholiad	election
pleidlais	vote
sylfaenydd (sylfaenwyr)	founder(s)
llywydd	president
beirniad llenyddol	literary critic
darlithydd	lecturer
newyddiadurwr	journalist
credwch neu beidio	believe (it) or not
darlith	lecture
nifer	number
triawd	triad
mynedfa	entrance
urddasol	dignified
porth (pyrth)	portal(s)

gorffen yn y fan yna. Symudodd yr achos i'r Old Bailey yn Llundain, ac ar 9 Ionawr 1937 fe gafodd y tri eu hanfon i Wormwood Scrubs am naw mis.

Gweinidog yr Efengyl oedd y Parchedig Lewis Valentine (1893-1985). Ef yw awdur yr emyn poblogaidd:

Dros Gymru'n gwlad, O! Dad dyrchafwn gri,–
Y winllan wen a roed i'n gofal ni;
D'amddiffyn cryf a'i cadwo'n ffyddlon byth,
A boed i'r gwir a'r glân gael ynddi nyth:
Er mwyn Dy Fab, a'i prynodd iddo'i Hun,
O! crea hi yn Gymru ar Dy lun.

Mae'r emyn yn cael ei ganu ar dôn Finlandia, ac mae llawer o bobl yn credu y dylen ni ganu hwn fel ein hanthem genedlaethol. Cafodd Lewis Valentine ei fagu yn Llanddulas yn Nyffryn Clwyd, ac roedd yn weinidog gyda'r Bedyddwyr. Dafydd Wigley ydy Aelod Seneddol Caernarfon er 1974, ond Lewis Valentine oedd y cyntaf i sefyll etholiad yn enw Plaid Cymru yng Nghaernarfon. Enillodd e 609 pleidlais yn etholiad 1929.

Roedd Saunders Lewis (1893-1985) yn un o sylfaenwyr Plaid Cymru yn 1925, ac yn Llywydd y Blaid yn 1926-39. Ysgrifennodd e lawer o ddramâu, a'r mwyaf enwog ydy *Blodeuwedd* (1948), *Siwan* (1956) a *Gymerwch chi Sigaret?* (1956). Roedd Saunders Lewis hefyd yn feirniad llenyddol pwysig, a bu'n gweithio fel darlithydd a newyddiadurwr. Credwch neu beidio, cafodd ei fagu yn Lerpwl; roedd llawer iawn o deuluoedd Cymraeg o ogledd Cymru'n byw yn Lerpwl ar ddechrau'r ganrif. Ar ôl iddo roi'r ddarlith enwog 'Tynged yr Iaith' *(Fate of the Language)* ar y radio yn 1962, cafodd Cymdeithas yr Iaith Gymraeg ei sefydlu gan nifer o bobl ifanc.

Cewch fwy o hanes Saunders Lewis yn llyfr Catrin Stevens, *Cymry Heddiw,* yn y gyfres yma, a chewch hanes y trydydd aelod o'r triawd, D.J.Williams, yn Nhaith Naw y llyfr hwn.

Ewch allan o Gaernarfon ar yr A487, ac yn **Llanwnda** ymunwch â'r A499 a dilyn y ffordd i gyfeiriad Pwllheli. Mewn tua dwy filltir, fe welwch chi fynedfa urddasol **Plas Glynllifon** (SH 455/553) ar ochr chwith y ffordd. Ewch i mewn drwy'r pyrth; mae llawer iawn o bethau diddorol i'w gweld yma.

Roedd Arglwydd Niwbwrch yn byw yn y Plas yn y 18fed a'r 19eg ganrif.

Trên Bach yr Wyddfa (Y Bwrdd Croeso)

Priododd Thomas Wynn, yr Arglwydd Niwbwrch cyntaf, â merch ifanc o'r Eidal, Maria Stella Petronilla. Dim ond tair ar ddeg oedd hi pan briodon nhw. Roedd hi'n ferch i geidwad carchar neu blismon yn Modigliana. Chwe blynedd ar ôl iddyn nhw briodi, daeth Maria Stella i fyw i Gymru, ac roedd hi'n llwyddiannus iawn fel Lady Newborough. Ond daeth cyfnod trist yn ei bywyd pan gollodd hi ei gŵr yn ifanc. Fe ailbriododd hi a mynd yn ôl i'r Eidal. Yna pan fu farw ei thad, fe ddaeth hi o hyd i lythyr. Roedd ei thad yn cyfaddef yn y llythyr nad oedd Maria'n ferch iddo ef. Roedd yn cyfaddef ei fod wedi cyfnewid ei fab ei hun am ferch fach rhywun arall. Felly pwy oedd ei rhieni iawn? Ar ôl llawer o chwilio, roedd hi'n meddwl ei bod hi'n ferch i Philippe Egalité, Dug Orléans. Cafodd y Dug ei ddienyddio yn y Chwyldro Ffrengig ond daeth ei fab, Louis Philippe yn Frenin Ffrainc. Felly mae'n bosib bod cysylltiad rhwng Plas Glynllifon â theulu brenhinol Ffraincl

Erbyn heddiw mae Coleg Amaethyddol, Canolfan Addysg a Pharc Treftadaeth ym Mhlas Glynllifon. Fe allwch chi dreulio oriau yn crwydro o gwmpas y gerddi yn edrych ar y blodau gwyllt a'r ugain math o goed conwydd. Hefyd fe allwch chi edrych ar y *follies*, yr amffitheatr, yr injan stêm, a chaer Napoléon. Mae prosiect o'r enw 'Llenorion Gwynedd – Moliant Gweledol' wedi cael ei sefydlu yma. Maen nhw wedi creu cerfluniau i gofio am rai ysgrifenwyr a darnau o lenyddiaeth. Mae rhai o'r cerfluniau ar thema llenyddiaeth plant. Maen nhw hefyd wedi agor yr hen weithdai, ac fe allwch chi weld crefftwyr wrth eu gwaith. Mae croeso Cymreig iawn yma, ac mae llawer o bobl leol yn ymweld â'r Parc, yn arbennig yn y

G E I R F A

yr Eidal	Italy
ceidwad carchar	gaoler
cyfnod	period
ailbriodi	to remarry
dod o hyd i	to find
cyfnewid	to exchange
Dug	Duke
dienyddio	to execute
Chwyldro	Revolution
cysylltiad	connection
amaethyddol	agricultural
treftadaeth	heritage
treulio	to spend (time)
conwydd	conifer
llenor(ion)	writer(s)
moliant	praise
gweledol	visual
cerflun(iau)	sculpture(s)
llenyddiaeth	literature
gweithdy (gweithdai)	workshop(s)
crefftwr (crefftwyr)	craftsman (craftsmen)

GEIRFA

gweithgaredd(au)	activity (activities)
cofeb	memorial
cantorion	singers
côr meibion (corau meibion)	male-voice choir (male-voice choirs)
ymhen	within
canllath	a hundred yards
murddun	ruin
awdur	author
hunangofiant	autobiography
ymddiriedolaeth	trust
nofelydd	novelist
stori fer (straeon byrion)	short story (short stories)
cyfieithu	to translate
profiad(au)	experience(s)
dwfn (dyfnaf)	deep(est)
portreadu	to portray
cymdeithas	society
chwarel	quarry
y cafodd hi . . .	that she was . . .
tlawd	poor
a gollodd	which lost
gwâr	civilized
diwylliedig	cultured
gwraig (gwragedd)	woman (women), wife (wives)
darlunio	to picture
enaid	soul
cymeriad(au)	character(s)
blasu	to taste
awyrgylch	atmosphere
golygfan	look-out
lôn wen	white lane/road

gaeaf. Mae llawer o weithgareddau diddorol yn cael eu cynnal yma drwy'r flwyddyn, a beth sy'n well nag eistedd yn yr amffitheatr yn yr awyr agored ar noson braf yng nghanol yr haf yn gwrando ar gyngerdd Cymraeg?

Mae pentref prydferth **Llandwrog** (SH 451/561) yn agos i Blas Glyn-llifon, ac yn yr eglwys mae cofeb i Maria Stella Petronilla. Mae llawer o gerddorion o Gymru gyfan wedi ymweld â Llandwrog ers yr 1970au cynnar; cantorion enwog fel Aled Jones a Bryn Terfel, corau meibion a grwpiau roc. Pam? Oes yna neuadd gyngerdd fawr yng nghanol y pentref? Nac oes. Y tu allan i'r pentref mae stiwdio cwmni recordiau Sain, un o'r cwmnïau recordiau mwyaf yng Nghymru.

Ewch yn ôl o Landwrog ar yr A499 i Lanwnda. Ewch ymlaen trwy'r pentref a chyn mynd i lawr y rhiw i'r Bont-newydd, trowch ar y dde i **Ros-gadfan**. Wrth ddod i mewn i Rosgadfan, trowch ar y chwith (arwydd Waun-fawr). Ymhen canllath fe welwch chi furddun ar ochr chwith y ffordd. Cae'r Gors (SH 506/574) ydy enw'r murddun, ac yma roedd yr awdur enwog, Kate Roberts (1891-1985) yn byw. Mae disgrifiad o Gae'r

Gors ar dudalen 8 yn hunangofiant Kate Roberts, *Y Lôn Wen*. Mae'r tŷ'n perthyn i ymddiriedolaeth erbyn heddiw, felly mae croeso i chi fynd i mewn drwy'r giât i edrych arno.

Roedd Kate Roberts yn nofelydd arbennig o dda, ac ysgrifennodd nifer o straeon byrion hefyd. Mae llawer o'i gwaith wedi cael ei gyfieithu i'r Saesneg, ond os gallwch chi, darllen-wch ei llyfrau yn y Gymraeg. Mae hi'n ysgrifennu mewn Cymraeg cyfoethog am brofiadau dyfnaf bywyd. Yn ei gwaith cynnar mae hi'n portreadu cymdeithas y chwarel, y gymdeithas y cafodd hi ei magu ynddi – cymdeithas dlawd a gollodd nifer o'i bechgyn yn y Rhyfel Byd Cyntaf. Mae hi'n dangos fod y gymdeithas honno'n wâr a diwylliedig. Yn straeon a nofelau ei blynyddoedd olaf, roedd hi'n ysgrif-ennu am bobl unig, yn arbennig gwragedd a hen bobl. Roedd hi'n darlunio bywyd unig a phoen enaid y cymeriadau.

Ar ôl blasu awyrgylch cartref un o lenorion mwyaf Cymru, dilynwch y ffordd fach gul i fyny i'r mynydd am 1½ milltir at yr olygfan. Hon ydy'r lôn wen sydd wedi rhoi'r enw ar hunan-gofiant Kate Roberts. Tarmac du sydd ar y ffordd heddiw, ond roedd hi'n

Castell Dolbadarn (Wolfgang Greller)

arfer bod yn wen. O'r olygfan hon fe allwch chi weld mynyddoedd yr Eifl, Caernarfon ac Ynys Môn, yn arbennig Ynys Llanddwyn lle buon ni ar y daith gyntaf. Roedd Kate Roberts yn arfer chwarae yn y grug ar y mynydd hwn, fel mae hi'n dangos yn *Y Lôn Wen* (tud. 20 a 26) a'r stori fer 'Te yn y Grug'.

Yn ystod gwyliau'r haf ar ôl i mi adael yr ysgol, bues i'n gweithio am ychydig o wythnosau mewn stablau yn Waun-fawr, ac roeddwn i'n mwynhau arwain taith ar geffylau i fyny Moel Smytho, y mynydd sydd y tu cefn i chi.

Ar ôl i chi fwynhau eich picnic, gyrrwch dros y mynydd ac i lawr i **Waun-fawr.** Ar y ffordd i lawr fe welwch chi fynydd yr Eliffant o'ch blaen. Mynydd Mawr ydy'r enw iawn

ar y mynydd hwn, ond mae hi'n ddigon hawdd deall pam maen nhw'n galw 'Mynydd yr Eliffant' arno. Pan ddewch chi at y ffordd fawr, trowch i'r chwith ac ewch dros y bont a dringwch i fyny'r rhiw i ganol pentref Waun-fawr. Daeth Waun-fawr yn enwog yn ddiweddar oherwydd prosiect Antur Waun-fawr. Mae pobl sydd ag anghenion arbennig yn rhedeg siop a chaffi a chanolfan arddio; maen nhw'n trin gerddi yn y pentref, ac yn y siop maen nhw'n gwerthu blodau sych, crefftau, jam, *chutney* a llawer o bethau eraill. Cafodd yr Antur ei sefydlu yng nghanol yr 1980au, ac mae pobl Waun-fawr wedi rhoi llawer o gefnogaeth iddo. Mae ugain o bobl yn gweithio'n llawn-amser i'r Antur. Mae'r Antur hefyd wedi rhoi ysbrydoliaeth i brosiectau tebyg mewn ardaloedd eraill o Gymru, a hefyd mewn gwledydd eraill fel Gwlad Belg a Ffrainc.

Beth am alw yn y siop? Ar ôl croesi'r bont, trowch ar y dde wrth ymyl Swyddfa'r Post. Ewch heibio i dai cyngor Ael y Bryn ac mae Antur

GEIRFA

grug	heather
y tu cefn i chi	behind you
digon hawdd	easy enough
galw . . . ar	to call, to name
yn ddiweddar	recently
anghenion arbennig	special needs
canolfan arddio	garden centre
trin	to tend
cefnogaeth	support
ysbrydoliaeth	inspiration

Waun-fawr ar y chwith wrth ymyl festri'r capel.

Ar ôl galw yn siop yr Antur, ewch ymlaen ar y ffordd hon am tua 2½ milltir drwy'r Ceunant at yr A4086. Trowch ar y dde ac ewch ymlaen i **Lanberis.**

Mae Llanberis wedi bod yn ganolfan wyliau boblogaidd iawn ers canrif. Mae miloedd o bobl yn dod yma bob blwyddyn i ddringo'r mynydd uchaf yng Nghymru a Lloegr. Wrth gwrs, mynd ar y trên mae nifer fawr ohonyn nhw. Mae'r trên bach yn mynd i fyny i

G E I R F A

copa(on)	peak(s)
bwrw eu prentisiaeth	to do their apprenticeship
brwdfrydig	ethusiastic
niwl	mist, fog
heini	fit
a'm = a + fy	and my
troedfedd(i)	foot (feet)
carcharu	to imprison
rheoli	to control
cynnal	to hold
cyfarfod gweddi	prayer meeting
diwygiad	revival
cymuned	community
concro	to conquer
adfail	ruin
caer	castle
i'w gweld	to be seen
gan gynnwys	including
amgueddfa	museum
llechen (llechi)	slate(s)

gopa'r Wyddfa er 1896. Mae hi'n daith o bum milltir, ac mae'n cymryd awr i gyrraedd y copa. Mae llawer o ddringwyr enwog wedi bwrw eu prentisiaeth ar yr Wyddfa cyn mynd i'r Alpau a mynyddoedd Himalaya. Roedd y Clwb Alpaidd yn ymarfer ar y mynydd yn y ganrif ddiwethaf. Mae caffi ar y copa ac mae'r dringwyr brwdfrydig yn cymysgu gyda'r ymwelwyr yn eu hesgidiau stiletto. Un tro, fe es i fyny'r Wyddfa ddwywaith mewn un diwrnod. Roeddwn i a'm ffrind wedi dringo i fyny yn y niwl, ond erbyn i ni gyrraedd i lawr i Fwlch y Moch, roedd y niwl wedi codi. Felly fe aethon ni i fyny eto dros y Grib Goch a Chrib y Ddysgl. Roeddwn i'n heini iawn ar y pryd; roeddwn i a'm ffrind wedi cerdded o Gas-gwent (*Chepstow*) ar daith y *Cambrian Way*. Daeth y daith i ben yn Abergwyngregyn ger Bangor. Mae 14 copa dros 3,000 o droedfeddi yn Eryri, a bob blwyddyn mae cannoedd o bobl yn cerdded neu redeg dros bob un mewn un diwrnod (26 milltir), yn Ras y Copaon.

Mae tŵr mawr crwn **Castell Dolbadarn** yn sefyll yn urddasol uwchben Llyn Padarn. Dyma lle y cafodd Owain Goch ei garcharu am ugain mlynedd gan ei frawd, Llywelyn ein Llyw Olaf. Llywelyn Fawr adeiladodd y castell mae'n debyg, er mwyn rheoli'r ffordd o Gaernarfon i Ddyffryn Conwy. Pan ddaeth Howel Harris (1714-73) i Lanberis, fe ddringodd e i ben y tŵr a chynnal cyfarfod gweddi yno. Roedd Howel Harris yn un o arweinwyr y Diwygiad Methodistaidd yn y 18fed ganrif ac fe sefydlodd e gymuned Gristnogol yn Nhrefeca ym Mhowys (gweler Taith Saith). Mae hanes Castell Dolbadarn yn debyg i hanes cestyll eraill Llywelyn Fawr. Cafodd ei goncro gan Edward I ac ar ôl hynny dechreuodd fynd yn adfail. Cafodd llawer o goed y castell eu cario i Gaernarfon i godi'r gaer newydd Normanaidd yno.

Mae digon o bethau eraill i'w gweld yn Llanberis hefyd, gan gynnwys Amgueddfa'r Gogledd, yr Amgueddfa Lechi a'r Parc Treftadaeth.

BWYD

1. Black Boy Inn, Caernarfon. 0286 673604
2. Y Bistro, 45 Y Stryd Fawr, Llanberis. 0286 871287.

TAITH PEDWAR

Mae pobl dros y byd i gyd wedi clywed am **Y Bala**, yn arbennig y bobl sy'n hoffi canwio a hwylio. Mae'r dref ar gyrion **Llyn Tegid**, y llyn naturiol mwyaf yng Nghymru. Mae Loch Ness yn yr Alban yn enwog am ei bysgodyn enfawr ers blynyddoedd a phwy a ŵyr na fydd y Bala'n enwog yn y dyfodol oherwydd *Teggie*, yr anghenfil mawr y mae rhai pobl wedi ei weld yn Llyn Tegid.

Mae afon Dyfrdwy yn llifo o Lyn Tegid, a dyna sy'n rhoi'r enw 'Bala' ar y dref. Ystyr 'bala' ydy'r lle y mae afon yn llifo o lyn.

Mae gen i resymau arbennig am hoffi'r Bala; cafodd Nain ei magu yng Nghwm Cynllwyd, ger Llanuwchllyn, ac aeth Taid i Goleg y Bala er mwyn astudio i fod yn weinidog. Mae **Coleg y Bala** yn sefyll uwchben y

dref ar y ffordd allan i Drawsfynydd. Erbyn hyn, Canolfan Ieuenctid y Presbyteriaid sydd yma, ac mae llawer o blant a phobl ifanc yn dod yma ar gyrsiau a gwersylloedd bob blwyddyn. Cafodd y Coleg ei sefydlu yn 1836 gan Lewis Edwards a David Charles fel coleg diwinyddol ar gyfer y Methodistiaid Calfinaidd. Fe gafodd cannoedd o ddynion ifanc eu hyfforddi yn y Coleg i fod yn

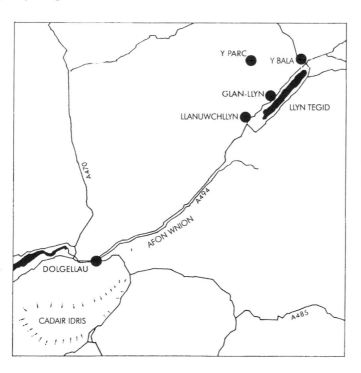

GEIRFA

ar gyrion	on the edges of
pwy a ŵyr	who knows
afon Dyfrdwy	the river Dee
ystyr	meaning
llifo	to flow
sefydlu	to found
diwinyddol	theological
Calfinaidd	Calvinistic, to describe followers of John Calvin
hyfforddi	to train, to instruct
technoleg	technology
amgen	alternative
chwarel	quarry

GWEITHGAREDDAU

1. Y Ganolfan Dechnoleg Amgen ger Machynlleth. 0654 702400. Agored drwy'r flwyddyn.
2. Chwarel Llechwedd, Blaenau Ffestiniog. 0766 830306. Agored drwy'r flwyddyn.

cerflun	statue
Lewis Edwards sefydlodd	(it was) L. E. who founded
cylchgrawn (cylch-gronau)	magazines, periodicals
dal i	still
cyhoeddi	to publish
taflen	pamphlet, brochure
awyrgylch	atmosphere
pori	to graze (lit.), to browse through books
yr olwg gyntaf	the first impression, first sight
dychmygu	to imagine
mudiad	movement
dathlu	to celebrate
cangen (canghennau)	branch(es)
dwyieithog	bilingual
cofnodion	minutes
cefnogi	to support
gwahoddiad	invitation
pererindod	pilgrimage
dadorchuddio	unveil
llechen (llechi)	slate(s)
cyfarch	to address
cyfarwyddwr	director
gwersyll	camp
hwylio	to sail

weinidogion. Mae cerflun mawr o Lewis Edwards o flaen y Coleg. Lewis Edwards sefydlodd y cylchgrawn pwysig *Y Traethodydd* yn 1843. Mae'r *Traethodydd* yn gylchgrawn llenyddol pwysig sy'n dal i gael ei gyhoeddi heddiw.

Os oes arnoch chi eisiau mynd am dro o gwmpas tref y Bala, ewch i swyddfa'r Bwrdd Croeso a gofyn am daflen Tro Trefol. Efallai y bydd copi ar gael yng Ngholeg y Bala hefyd.

Ar ôl cael paned o de yn awyrgylch Cymraeg Caffi'r Cyfnod ar Stryd Fawr y Bala, a phori drwy'r llyfrau yn Awen Meirion, ewch allan o'r dref ar yr A494 a gyrrwch ar hyd glannau Llyn Tegid am un filltir. Trowch i'r dde gyferbyn ag Eglwys Llanycil, a dringwch i fyny'r bryn i bentref bychan **Y Parc** (SH 875/338). Ar yr olwg gyntaf does dim byd arbennig ynglŷn â'r Parc. Ond dychmygwch ganol y pentref yn llawn o dair mil o ferched ar ddiwrnod poeth yn yr haf. Yng nghanol yr holl ferched, roedd tua phump o ddynion dewr, ac roeddwn i'n un ohonyn nhw. Beth yn y byd oedd yn digwydd? 16 Mai 1992 oedd y dyddiad, ac roedd mudiad Merched y Wawr yn dathlu ei ben blwydd yn 25 oed. Yn y Parc y cafodd y gangen gyntaf o Ferched y Wawr ei sefydlu. Roedd nifer o'r merched yn anhapus yn 1967 gyda Sefydliad y Merched (W.I.); doedd gan y W.I. ddim polisi dwyieithog, ac roedd yn rhaid i bob cangen gadw cofnodion yn Saesneg. Er 1967 mae Merched y Wawr wedi tyfu'n fudiad mawr, ac maen nhw'n gwneud llawer o waith i gefnogi'r Gymraeg. Maen nhw'n cynnal llawer o weithgareddau i ddysgwyr, a dyna pam y ces i wahoddiad i'r Parc ym mis Mai, 1992. Roedd aelodau o Ferched y Wawr o Gymru gyfan wedi dod ar 'Bererindod i'r Parc' i ddadorchuddio llechen yn iard yr ysgol, ac fe ges i wahoddiad i gyfarch y dorf yn ystod y seremoni gan fy mod yn Gyfarwyddwr mudiad CYD ar y pryd.

Ar ôl i chi ddarllen y llechen ar wal yr ysgol, dringwch i fyny'r rhiw allan o'r Parc a dilynwch y ffordd i lawr at yr A494. Trowch ar y dde, ac ymhen ¼ milltir fe welwch chi **Wersyll yr Urdd, Glan-llyn** ar y chwith. Mae'r gwersyll hwn yn enwog iawn; mae miloedd o blant a phobl ifanc wedi aros yno ers iddo gael ei agor yn 1950. Mae'r gwersyll yn cael ei ddefnyddio drwy'r flwyddyn gan bobl ifanc sydd eisiau cerdded, hwylio, canwio, hwylfyrddio, nofio, canu a dawnsio. Yn ddiweddar, cafodd neuadd bowlio deg ei hagor yn y gwersyll. Fe fues i'n aros yng Nglan-llyn nifer o weithiau pan oeddwn yn iau, ac fe ges i hwyl arbennig bob tro. Mae yna draddodiad hefyd o gynnal mini-marathon o gwmpas Llyn Tegid, ac rydw i wedi rhedeg yn y marathon dair gwaith. Roedd rhaid i ni redeg dros un ar ddeg milltir o gwmpas y llyn, gan ddechrau a gorffen yng Ngwersyll Glan-llyn. Mae'r marathon yn cael ei gynnal fel arfer ar ddiwrnod poeth iawn yn yr haf, felly mae'r rhan olaf o'r daith, o'r Bala yn ôl i'r gwersyll, yn boenus ac araf. Wnes i erioed ennill y ras!

Ar ôl bwrw golwg ar Wersyll Glan-llyn, ewch ymlaen i bentref **Llanuwchllyn**. Ar y chwith gyferbyn â'r garej, wrth i chi droi i mewn i'r pentref, fe welwch chi gerflun o Owen Morgan Edwards, a'i fab Syr Ifan ab Owen Edwards. Mae'n werth i chi

Abaty Cymer (Wolfgang Greller)

aros yma i edrych arnyn nhw. Syr Ifan oedd sylfaenydd Urdd Gobaith Cymru yn 1922, ac ef oedd yn gyfrifol hefyd am agor Gwersyll Glan-llyn. Erbyn hyn, mae'r Urdd wedi tyfu'n fudiad pwysig iawn. Mae'n cynnal Eisteddfod Genedlaethol i blant a phobl ifanc, cyhoeddi cylchgronau, a chynnal pob math o weithgar-eddau yn y canghennau lleol a'r canolfannau preswyl. Arwyddair yr Urdd ers y cychwyn ydy 'I Gymry, i gyd-ddyn, ac i Grist', a bob blwyddyn ers ei sefydlu yn 1925 mae'r Urdd yn anfon Neges Ewyllys Da gan Blant Cymru at Blant y Byd.

Fe allech chi ddweud mai O. M. Edwards ydy tad addysg Gymraeg. Fe gafodd e ei eni a'i fagu yng Nghoed-y-Pry, Llanuwchllyn. Ar ôl astudio yn Aberystwyth, Glasgow a Choleg Balliol yn Rhydychen, aeth i grwydro drwy Ewrop am ddwy flynedd. Ysgrifennodd e lyfrau am y teithiau

GEIRFA

hwylfyrddio	to wind-surf
bowlio deg	10 pin bowling
traddodiad	tradition
olaf	final, last
poenus	painful
wnes i erioed ennill y ras (enillais i erioed mo'r ras)	I never won the race
bwrw golwg	to cast an eye over
sylfaenydd	founder
cyfrifol	responsible
gweithgaredd(au)	activity(ies)
preswyl	residential
arwyddair	motto
cyd-ddyn	fellow-man
Neges Ewyllys Da	Good Will Message
addysg	education

hynny: *Tro yn Llydaw* (1888), *Tro yn yr Eidal* (1888) ac *O'r Bala i Geneva* (1889). Yna ar ôl gweithio am gyfnod yng Ngholeg Lincoln, Rhydychen, cafodd ei benodi'n Brif Arolygydd Ysgolion y Bwrdd Addysg yng Nghymru. Yn y swydd honno bu'n pwyso'n gyson am addysg Gymraeg i blant Cymru. Mae'n cael ei gofio'n arbennig am sefydlu cylchgrawn *Cymru'r Plant*. Fe gafodd tua 12,000 o gopïau o'r cylchgrawn eu gwerthu yn 1900. Roedd O. M. Edwards hefyd yn awdur llyfrau ar hanes Cymru ac yn olygydd nifer o gylchgronau eraill. Ei freuddwyd mawr oedd 'codi'r hen wlad yn ei hôl'. Heb y cyfaill hwn, tybed beth fyddai hanes y Gymraeg erbyn heddiw?

Roedd llawer o'r Crynwyr a aeth i Bensylfania i sefydlu gwlad newydd yn yr 17eg ganrif yn dod o Feirionnydd. Daeth George Fox, y Crynwr cyntaf, i Feirionnydd yn 1657, ac fe gafodd ei neges ynglŷn â'r 'goleuni oddi mewn' groeso mawr gan nifer o bobl yn yr ardal. Ond roedd y Crynwyr yn cael eu herlid yn ffyrnig gan eu bod nhw'n gwrthod cymryd llw o ffyddlondeb i'r Brenin. Fe allwch chi ddysgu mwy am hanes Crynwyr Meirionnydd yng Nghanolfan y Crynwyr ar Sgwâr Dolgellau. Mae rhai o gartrefi'r Crynwyr yn ffermdai gwych megis Dolserau (sy'n westy heddiw), Gwanas a Bryn-mawr. Ysgrifennodd Marion Eames ddwy nofel hanesyddol dda iawn am y Crynwyr, *Y Stafell Ddirgel* (1969) ac *Y Rhandir Mwyn* (1972).

Mae Dolgellau'n gorwedd yng nghysgod **Cadair Idris**. Bu dringwr enwog, Owen Glynne Jones (1867-99) yn ymarfer dringo ar y creigiau ar wyneb gogleddol y mynydd cyn mynd i ddringo yn yr Alpau lle collodd ei fywyd mewn damwain ar greigiau Dent Blanche. Pwy oedd Idris? Does neb yn hollol sicr am ei hanes, ond mae'n debyg mai cawr chwedlonol oedd e. Y pant lle mae Llyn Cau oedd y gadair y byddai Idris yn eistedd ynddi, a'i gefn yn pwyso ar lethrau serth ac uchel Craig Cau. Mae'n siŵr y byddai ei draed wedyn yn cyrraedd Minffordd o dan Fwlch Tal-y-llyn!

Os nad oes arnoch chi eisiau gwisgo eich esgidiau dringo a mentro i fyny Cadair Idris, ewch allan o Ddolgellau ar yr A470 i'r gogledd, ac ymhen ½ milltir, trowch ar y dde i **Abaty Cymer** (SH 721/195). Cafodd yr Abaty hwn ei godi yn 1198 o dan nawdd y tywysog Maredudd ap mae Llywelyn ein Llyw Olaf wedi cael ei gladdu. Cafodd yr abaty nawdd hefyd gan Gruffudd ap Cynan (brawd Maredudd), Hywel ap Gruffudd a'r Tywysog Llywelyn ab Iorwerth (Llywelyn Fawr). Roedden nhw'n arfer ffermio yma, ac roedd Maredudd a Gruffudd ap Cynan yn magu ceffylau, gan roi dau geffyl bob blwyddyn i Llywelyn Fawr. Dioddefodd yr abaty yn ystod y rhyfel rhwng tywysogion Gwynedd ac Edward I, a chafodd ei ddatgorffori yn 1536/7.

Os nad oes rhaid i chi frysio'n ôl i'r Bala, pam nad ewch chi i weld Llynnau Cregennan ger Arthog, neu beth am grwydro dros Fwlch Tal-y-llyn i weld y golygfeydd hyfryd, rheilffordd Tal-y-llyn, pentref Abergynolwyn, Castell y Bere a chartref Mary Jones yn Llanfihangel-y-Pennant. Cewch hanes Mary Jones yn y daith nesaf.

Y dringwr enwog, Owen Glynne Jones
(Llyfrgell Genedlaethol Cymru)

Cynan. Mae'n sefyll mewn llecyn hyfryd lle mae afon Mawddach ac afon Wnion yn dod at ei gilydd, a dyna ydy ystyr 'cymer' – dwy afon yn cyfarfod. Yr un gair sydd yn Kemper (Quimper) yn Llydaw. Abaty Sistersaidd oedd Cymer, a daeth mynaich yma o Abaty Cwm-hir ym Mhowys, lle

GEIRFA

llecyn	spot
mynach (mynaich)	monk(s)
claddu	to bury
nawdd	patronage, protection
dioddef	to suffer
datgorffori	to dissolve
os nad oes raid i chi	if you don't have to
bwlch	pass, gap
golygfa (golygfeydd)	view(s)
hanes	story, history
dylanwad	influence

BWYD

1. The Grapes Hotel, Maentwrog. 076 685 208/365.
2. Dylanwad Da, Dolgellau. 0341 422870.

TAITH PUMP

Yn 1995 bydd miloedd o bobl yn heidio i'r **Bala** ar gyfer pencampwriaethau'r byd mewn rasio ar ddŵr. Fe fyddan nhw'n rasio ar ganŵs i lawr afon **Tryweryn** o **Lyn Celyn**. Yn wahanol i Lyn Tegid, nid llyn naturiol ydy Llyn Celyn. Cafodd pentref Capel Celyn yng Nghwm Tryweryn ei foddi yn yr 1960au cynnar

---

GEIRFA

pencampwriaeth(au)'r byd mewn rasio ar ddŵr	world wild water racing championships
boddi	to drown, to flood
ffyrnig	fierce
pwnc llosg	burning issue
cenedlaetholwr (cenedlaetholwyr)	nationalist(s)
canolbarth Lloegr	Midlands of England
argae	dam
ôl (olion)	remain(s)
cerflun	statue
trigolion	inhabitants
ymwelydd (ymwelwyr)	visitor(s)
adrodd hanes . . .	to tell the story of . . .
San Steffan	Westminster
gwleidydd(ion)	politician(s)
Rhyddfrydol	Liberal
sylfaenydd (sylfaenwyr)	founder(s)
mudiad	movement
rhyddid	freedom
cefnogi	to support

---

er mwyn rhoi dŵr i bobl Lerpwl. Roedd llawer o bobl drwy Gymru gyfan yn teimlo'n flin iawn am hyn, a bu llawer o brotestiadau ffyrnig yn erbyn boddi'r cwm. Roedd dŵr yn bwnc llosg i genedlaetholwyr Cymreig yn yr 1960au. Roedden nhw'n flin bod pentrefi a chymoedd yng Nghymru'n cael eu boddi er mwyn rhoi dŵr i ddinasoedd canolbarth Lloegr. Ceisiodd rhai pobl fomio argae Llyn Celyn, ac fe gafodd rhai cenedlaetholwyr eu rhoi yn y carchar. Mae gan Meic Stevens gân dda iawn am foddi Cwm Tryweryn. Os ydy'r haf yn sych iawn, fe allwch chi weld olion Capel Celyn yn codi o'r dŵr.

Mae cerflun o Thomas Edward Ellis (1859-99) ar Stryd Fawr Y Bala, ac mae'r gŵr urddasol yn edrych ar drigolion y dref, y ffermwyr a'r ymwelwyr wrth iddyn nhw gerdded ar hyd y Stryd Fawr yn siopa ac yn siarad. Pwy oedd T. E. Ellis, a pham roedd e'n ddigon pwysig i gael cerflun yn Y Bala?

Os edrychwch chi ar y *plinth* fe welwch chi bedwar llun, ac mae'r lluniau hyn yn adrodd hanes T. E. Ellis. Mae'r llun cyntaf yn dangos ei ystafell yn San Steffan. Gwleidydd oedd Tom Ellis, a bu'n Aelod

Seneddol Rhyddfrydol dros Feirion-nydd o 1886 hyd 1899. Roedd e'n un o sylfaenwyr mudiad Cymru Fydd (gweler Taith Dau) ac fe weithiodd e'n galed iawn i geisio ennill mwy o ryddid i Gymru. Roedd e'n cefnogi Datgysylltu'r Eglwys ac achos Diwygio'r Tir (achos helynt Rhyfel y Degwm). Mae'r ail lun (i'r chwith) yn dangos Cynlas, yng Nghefnddwysarn, y fferm lle y cafodd e ei eni a'i fagu. Fe aeth e i Ysgol Ramadeg Y Bala yr un pryd ag O. M. Edwards (gweler Taith Pedwar) ac yna i Goleg Prifysgol Cymru, Aberystwyth a Choleg Newydd, Rhydychen. Mae llun o'r ddau goleg ar y ddwy ochr arall i'r *plinth*. Ar ei wyliau yn yr Aifft yn 1890, fe gafodd ei daro'n wael â teiffoid, ac fe aeth ei iechyd yn waeth. Buodd e farw'n ifanc yn Cannes, Ffrainc ar 5 Ebrill 1899. Roedd e wedi bod yn Brif Chwip y Llywodraeth ac yn un o wleidyddion mwyaf dylanwadol Cymru. Ar y *plinth* mae'r geiriau 'Amser dyn yw ei gynhysgaeth'.

Un o'r dynion mwyaf enwog i fyw yn Y Bala oedd Thomas Charles (1755-1814). Roedd e'n bregethwr mawr gyda'r Methodistiaid Calfinaidd ac mae e'n cael ei gofio heddiw fel sylfaenydd Cymdeithas y Beiblau yng

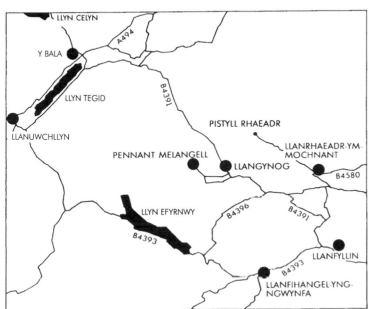

arian ers chwe blynedd er mwyn prynu Beibl; roedd hi wedi bod yn cael arian gan bobl am drwsio dillad a hel coed tân, ac roedd hi wedi cadw pob ceiniog yn ofalus nes bod ganddi ddigon i brynu Beibl. Ond pan gyrhaeddodd hi'r Bala, roedd Thomas Charles wedi gwerthu ei Feibl olaf. Fe welodd e mor siomedig oedd Mary Jones, felly fe roddodd ei gopi ei hun o'r Beibl iddi hi; roedd e mor hapus ei bod hi wedi cerdded mor bell i gael Beibl. Roedd Mary Jones wedi cyffwrdd â chalon Thomas Charles, ac fe benderfynodd e y dylai pawb yng Nghymru gael Beibl. Dyna sut y dechreuodd Cymdeithas y Beiblau.

Bydd yn rhaid i chi ffarwelio â'r Bala a dilyn y B4391 i gyfeiriad Llanfyllin. Mewn tua 13 milltir, fe

Nghymru. Mae yna stori ddiddorol iawn y tu ôl i hynny. Roedd Thomas Charles wedi golygu testun o'r Beibl Cymraeg ar gyfer pobl Cymru, ac un diwrnod yn 1800 daeth merch 16 oed i ofyn am Feibl ganddo. Roedd Mary Jones wedi cerdded 25 milltir yn droednoeth o Lanfihangel-y-Pennant ger Tywyn i gael y Beibl. Fe gafodd hi ei magu ar fferm, ac roedd hi'n arfer mynd i'r fferm y drws nesaf i ddysgu darllen y Beibl. Y pryd hwnnw, doedd gan y rhan fwyaf o bobl ddim Beibl yn y cartref. Roedd Mary wedi cynilo

GEIRFA

Datgysylltu'r Eglwys	the Disestablishment of the Church
Diwygio'r Tir	Land Reform
Rhydychen	Oxford
taro'n wael	to become ill
Prif Chwip	Chief Whip
dylanwadol	influential
cynhysgaeth	endowment
golygu	to edit
testun	text
troednoeth	barefoot
cynilo	to save
trwsio	to mend
siomedig	disappointed
y dylai pawb . . .	that every one . . . ought to

G E I R F A

yn ôl y traddodiad	according to tradition
hela	to hunt
ysgyfarnog	a hare
cuddio	to hide
clogyn	cloak
heliwr (helwyr)	hunter(s)
ffoi	to flee
udo	to howl
sefydlu	to found
cymuned	community
lleian(od)	nun(s)
nawddsant/santes	patron saint
creadur(iaid)	creature(s)
llywydd anrhydeddus	honorary president
gwarchod	to defend
adfer	to restore
delfrydol	ideal
pererindod	pilgrimage
taflen(ni)	leaflet(s)
plwyf	parish
cyfieithu	to translate
Llyfr Gweddi Gyffredin	Common Prayer Book
cyfieithiad(au)	translation(s)
Deddf	Act
gorchymyn	to order, to command
ochr yn ochr	side by side
arddangosfa	exhibition
parhaol	permanent

ddewch chi i bentref **Llangynog**. Trowch ar y dde yng nghanol y pentref ac ewch i fyny'r cwm am 2½ milltir i **Bennant Melangell**. Tywysoges o'r 6ed ganrif oedd Melangell, ac yn ôl y traddodiad, fe ddaeth hi i Gymru o Iwerddon. Un diwrnod fe welodd hi ddynion yn hela ysgyfarnog. Roedd hi'n caru anifeiliaid yn fawr iawn, felly fe guddiodd hi'r ysgyfarnog o dan ei chlogyn. Roedd cŵn yr helwyr – sef Brochfael Ysgythrog, Tywysog Powys a'i ddynion – wedi dychryn ac fe wnaethon nhw ffoi ar unwaith gan udo. Rhoddodd Brochfael y tir hwn i Melangell, ac yn ôl y traddodiad fe sefydlodd hi gymuned o leianod yma. Melangell ydy nawdd santes y creaduriaid bychain. Petai hi'n byw heddiw, mae'n siŵr mai hi fyddai Llywydd Anrhydeddus yr RSPCA. Yn wir, mae Cymdeithas Melangell wedi cael ei sefydlu'n arbennig i warchod anifeiliaid. Fel y gwelwch chi, mae llawer o waith wedi cael ei wneud yn ddiweddar i adfer yr eglwys, ac mae hi'n brydferth iawn. Fe es i yno ar ddiwrnod tawel yn y gaeaf, ac roedd llawr y cwm yn wyn gydag eira. Mae'n lle delfrydol i fynd ar bererindod, ond dw i'n siŵr ei bod hi'n eithaf prysur yn ystod yr haf. Mae llawer o daflenni yn yr eglwys sy'n rhoi hanes y plwyf yn llawn.

Ewch ymlaen o Langynog drwy Ben-y-bont-fawr i **Lanrhaeadr-ym-Mochnant**. Yn y dref fach hon y digwyddodd un o'r pethau pwysicaf yn hanes Cymru a'r iaith Gymraeg. Mae Llanrhaeadr-ym-Mochnant yn enwog oherwydd bod y Beibl wedi cael ei gyfieithu i'r Gymraeg yma gan William Morgan yn 1588. Roedd William Morgan yn ficer ym mhlwyf Llanrhaeadr-ym-Mochnant o 1578 i 1595. Roedd y Testament Newydd a'r Llyfr Gweddi Gyffredin wedi cael eu cyfieithu gan William Salesbury ac eraill yn 1567, ond doedd y cyfieithiadau hynny ddim yn hawdd i'w deall. Cafodd Deddf ei phasio yn y Senedd yn 1563 yn gorchymyn cyfieithu'r Beibl i'r Gymraeg. Roedd y Frenhines Elizabeth I yn gobeithio y byddai pobl Cymru'n dysgu siarad Saesneg wrth ddarllen y Beibl Cymraeg a'r Beibl Saesneg ochr yn ochr. (Mae arddangosfa barhaol ar y Beibl Cymraeg yn y Llyfrgell Genedlaethol yn Aberystwyth.)

Ewch i mewn i'r Eglwys yn Llanrhaeadr-ym-Mochnant. Mae arddangosfa ynglŷn â'r Beibl yn yr

Eglwys, ac fe allwch chi weld copi o Feibl 1588. Hefyd mae croesfaen mewn arddull Geltaidd yn yr Eglwys; mae dylanwad y Llychlynwyr ar y patrymau ar y groes hon. Mae croes debyg iddi hi yn Eglwys Meifod ger Llanfair Caereinion.

Fe aeth William Morgan o Lan-

Canwio ar Afon Tryweryn (Y Bwrdd Croeso)

rhaeadr-ym-Mochnant yn 1595 i Eglwys Gadeiriol Llandaf, ac fe fuodd e'n Esgob yno cyn mynd yn Esgob Llanelwy yn 1601. Bu farw yn ŵr gweddol dlawd yn 1604 ac fe gafodd ei gladdu yn Llanelwy.

Yn agos i Lanrhaeadr-ym-Mochnant mae un o Saith Rhyfeddod Cymru, sef **Pistyll Rhaeadr**. Dilynwch yr arwydd allan o'r pentref ar hyd Stryd y Moch, ac ewch i fyny'r cwm

serth am bedair milltir. Fe welwch chi'r rhaeadr o bell wrth deithio i fyny'r cwm. Rhyfeddol yn wir; mae'n enfawr. Mae lle i chi barcio'r car wrth y rhaeadr ac fe allwch chi eistedd y tu allan i'r caffi yn yfed te wrth syllu i fyny ar y dŵr yn disgyn dros 200 troedfedd i bwll yn y graig cyn llifo drwy fwa naturiol yn y graig ac i lawr y cwm.

Yn ôl Gareth Vaughan Williams mae yna stori ddiddorol ynglŷn â llun enwog o'r rhaeadr sydd i'w weld yng Nghastell Y Waun:

Paentiwyd y tirlun mawr yma tua 1750 gan Richard Wilson, yr arlunydd enwog, ac mae'n wahanol iawn i unrhyw lun arall o'r pistyll, gan fod cychod yn hwylio ar y pyllau yn y pistyll.

Mae'n od bod arlunydd mor enwog yn gwneud y fath gamgymeriad. Ond mae 'na esboniad!

Yn ôl traddodiad yr ardal, pan oedd Richard Wilson yn sefyll o flaen ei gynfas ac yn peintio'r olygfa, fe ddaeth hen fugail i weld beth oedd y dieithryn yn ei wneud.

Gofynnodd yr artist i'r bugail beth oedd ei farn am y llun.

'It is very good,' meddai'r bugail, 'but where are the sheeps?'

Er mwyn plesio'r hen fugail, fe ychwanegodd Richard Wilson 'ships' at y llun!

Prentis, Cyfrol III, Rhifyn 1

GEIRFA	
croesfaen	stone cross
Llychlynwyr	Vikings
esgob	bishop
tlawd	poor
claddu	to bury
Saith Rhyfeddod Cymru	The Seven Wonders of Wales
pistyll	waterfall
rhaeadr	waterfall
llifo	to flow
bwa	arch
Y Waun	Chirk
tirlun	landscape
arlunydd	artist
cwch (cychod)	boat(s)
y fath gamgymeriad	such a mistake
esboniad	explanation
cynfas	canvass
golygfa	view, scene
bugail	shepherd
dieithryn	stranger
barn	opinion
plesio	to please
ychwanegu	to add

GWEITHGAREDDAU

1. Clwb Golff y Bala. 0678 520359.
2. Canolfan Hamdden y Bala. 0678 521222.

Mae'n bryd i ni ffarwelio â Llanrhaeadr-ym-Mochnant, ond mae digon o bethau diddorol eraill i'w gweld ym Maldwyn. Fe awn ni i **Lanfihangel-yng-Ngwynfa** i chwilio am hanes yr emynyddes Ann Griffiths (1766-1805).

Ewch allan o Lanrhaeadr-ym-Mochnant gan gadw'r eglwys ar y dde i chi a dilynwch y B4580 am bum milltir a hanner hyd at gyrion Llanfyllin. Yna trowch ar y dde, gan ddilyn y B4393 i gyfeiriad Llyn Efyrnwy am tua thair milltir. Yna trowch ar y chwith a dilyn y B4382 am hanner milltir i mewn i ganol pentref Llanfihangel-yng-Ngwynfa.

Roedd Ann Griffiths yn ferch ifanc fywiog ac fe gafodd hi a gweddill y teulu dröedigaeth at Iesu Grist yng nghanol diwygiad mawr yn yr ardal. Cyn iddi hi farw'n ifanc, roedd hi wedi cyfansoddi rhai o'r emynau gorau mewn unrhyw iaith yn y byd. Dyma un o'r enwocaf ohonyn nhw. Fel arfer mae hi'n cael ei chanu ar yr un dôn â 'Guide me, Oh Thou Great Jehovah'.

> Wele'n sefyll rhwng y myrtwydd
> Wrthrych teilwng o fy mryd,
> Er mai o ran yr wy'n adnabod

Pistyll Rhaeadr (Wolfgang Greller)

> Ei fod uwchlaw gwrthrychau'r byd;
> Henffych fore,
> Y caf ei weled fel y mae.
>
> Rhosyn Saron yw ei enw,
> Gwyn a gwridog, teg o bryd,
> Ar ddeng mil y mae'n rhagori,
> O wrthrychau penna'r byd;
> Ffrind pechadur
> Dyma'i beilat ar y môr.

Dyma gyfieithiad o 'Wele'n sefyll rhwng y myrtwydd' gan H. Idris Bell:

Lo, between the Myrtles standing,
  One who merits well my love,
Though His worth I guess but dimly,
  High all earthly things above;
    Happy morning
  When at last I see Him clear!

Rose of Sharon, so men name Him;
  White and red His cheeks adorn;
Store untold of earthly treasure
  Will his merit put to scorn;
    Friend of sinners,
  He their pilot o'er the deep.

Y peth rhyfeddol yw bod yr emynau hyn wedi cael eu trosglwyddo gan Ann i'w morwyn ar lafar. Doedd Ann ei hunan ddim wedi eu hysgrifennu nhw ar bapur. Chafodd Ann ddim addysg coleg. Roedd hi'n adnabod y Beibl yn dda iawn, ac roedd ei chariad hi at ei Harglwydd yn ei chymell hi i ganu emynau.

Mae cofgolofn i Ann ym mynwent yr eglwys yn Llanfihangel, ac fe gafodd hi ei geni a'i magu yn **Nolwar Fach,** fferm tua 2½ milltir i'r de o'r pentref. Mae Dolwar Fach wedi cael ei gadw yn ei gyflwr gwreiddiol, ac mae hi'n bosib ymweld â'r fferm drwy drefnu ymlaen llaw. Hefyd fe ddylech chi fynd i **Ddolanog** lle mae capel coffa Ann Griffiths.

Os ydy'r tywydd yn braf, beth am fynd yn ôl drwy Lanwddyn ar hyd glannau Llyn Efyrnwy. Mae'n lle hyfryd iawn i gael picnic. Yna fe allwch chi fynd yn ôl dros y mynydd i'r Bala neu ddringo i fyny at Fwlch y Groes. Ar Fwlch y Groes mae gennych chi ddau ddewis. Ewch i lawr y cwm serth i Lanymawddwy a Dinas Mawddwy at yr A470, neu ewch i lawr Cwm Cynllwyd i Lanuwchllyn. Os bydd y petrol yn brin yn Llanuwchllyn, ewch yn ôl i'r Bala ar y trên bach a gorffen eich taith mewn steil y tu ôl i beiriant stêm.

BWYD

1. Neuadd y Cyfnod, Y Bala. 0678 521269. Agored: Mawrth i Fedi.
2. The Old New Inn, High Street, Llanfyllin. 0691 648 449.

TAITH CHWECH

I lawer o Gymry, **Aberystwyth** ydy prif dref Cymru. Mae pobl yn teithio yma o bob rhan o Gymru i gyfarfodydd mudiadau Cymraeg. Yma mae prif swyddfa Cymdeithas yr Iaith Gymraeg, CYD, y Cyngor Llyfrau

Cymraeg ac Urdd Gobaith Cymru. Mae 5,000 o fyfyrwyr yn treulio wyth mis o'r flwyddyn yn Aberystwyth, ac mae'r dref yn llawn o ymwelwyr bob haf. Fe allwch chi ddringo i ben **Craig Glais**, neu Constitution Hill fel mae pawb yn galw'r graig. Ar ddiwrnod clir, hyd yn oed heb edrych drwy'r *camera obscura*, fe welwch chi arfordir gorllewin Cymru o Ynys Enlli yn y gogledd i Sir Benfro yn y de, tua 150 milltir i gyd. Edrychwch i lawr ar y dref o Constitution Hill. Yr ochr draw i'r pier mae adeilad mawr gothig melyn. Cafodd hwn ei godi fel gwesty ar ddiwedd y ganrif ddiwethaf, ond yn 1872 fe gafodd ei brynu gan Brifysgol Cymru ar gyfer ei choleg cyntaf. Dim ond yr Adran Addysg, Adran y Gymraeg a'r swyddfeydd gweinyddol sydd yn **yr Hen Goleg** erbyn heddiw. Mae'r rhan fwyaf o adrannau academaidd y Coleg yn yr adeiladau newydd ar y bryn. Mae fy nhad yn cofio sglefrio ar lyn wedi rhewi lle mae'r adeiladau hynny yn sefyll heddiw. Cyn i gampws newydd y Coleg gael ei godi rhwng 30au a 70au'r ganrif hon, y **Llyfrgell Genedlaethol** oedd yr adeilad uchaf uwchben y dref. Fe ddechreuon nhw godi'r adeilad urddasol hwn yn 1911.

Coleg Prifysgol Cymru, Aberystwyth (W.Greller)

Erbyn heddiw mae miliynau o lyfrau a llawer o luniau a llawysgrifau ynddo. Maen nhw'n derbyn copi o bob llyfr newydd sy'n cael ei gyhoeddi ym Mhrydain, sef dros 1,000 yr wythnos. Mae croeso i chi fynd i weld yr arddangosfa o drysorau'r Llyfrgell.

Cerddwch i lawr y bryn o'r Llyfrgell a throwch ar y chwith ar Ffordd Llanbadarn. Ymhen canllath ar y chwith fe welwch chi **swyddfa Urdd Gobaith Cymru** (gweler Taith Pedwar). Yn yr adeilad hwn y cychwynnodd yr ysgol Gymraeg gyntaf yn 1939, ac roedd fy nhad yn un o'r disgyblion cyntaf. Erbyn heddiw mae cannoedd o ysgolion Cymraeg drwy Gymru, ond yn y fan hyn y cychwynnodd y cyfan. Roedd ffoaduriaid o Lundain a dinasoedd eraill yn Lloegr wedi dod i Aberystwyth i osgoi'r *blitz*, ac roedd rhai o rieni

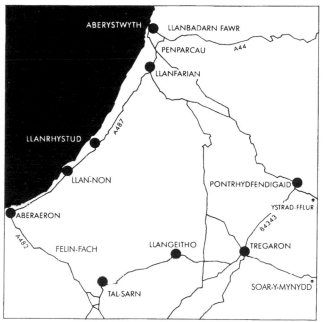

Cymraeg Aberystwyth yn poeni am y dylanwad Seisnig ar eu plant. Un o'r rhieni hyn oedd Syr Ifan ab Owen Edwards, sylfaenydd Urdd Gobaith Cymru.

Ewch yn ôl at dafarn y Cŵps, sy'n boblogaidd iawn gan fyfyrwyr Cymraeg, a dilynwch y ffordd heibio i'r orsaf at **Bont Trefechan**. Mae'r bont hon yn enwog achos bod Cymdeithas yr Iaith wedi cynnal ei phrotest gyntaf yma yn 1962. Mae yna fwriad i roi plac yma i gofnodi'r digwyddiad. Cododd storm enfawr yn Neuadd y Dref pan benderfynodd Cyngor y Dref roi grant o £100 tuag at y plac yn 1993. Wrth sefyll ar y bont fe welwch chi harbwr Aberystwyth. Erbyn i chi ddarllen hwn, bydd marina fawr fodern yma. Cododd storm o brotest ynglŷn â hynny hefyd. Cerddwch i fyny Heol y Bont i ben uchaf y dref. Rydych chi wedi cyrraedd yr hen Aberystwyth a gafodd ei chodi o gwmpas y gaer, o fewn muriau'r dref. Yn wir, Llanbadarn Gaerog oedd yr hen enw ar Aberystwyth. Doedd dim eglwys yma tan y 18fed ganrif, ac roedd yr addolwyr yn cerdded dros filltir i'r hen blwyf yn Llanbadarn.

Mae arddangosfa barhaol wych yn **Eglwys Llanbadarn Fawr**. Cafodd yr artist Peter Lord ei gomisiynu gan Gyngor Cymuned Llanbadarn i gynllunio arddangosfa i ddathlu hanes

GEIRFA

dylanwad	influence
sylfaenydd	founder
myfyriwr (myfyrwyr)	student(s)
cynnal	to hold
bwriad	intention
cofnodi	to note, to record
digwyddiad	event
caer	castle
mur(iau)	wall(s)
caerog	fortified
addolwr (addolwyr)	worshipper(s)
plwyf	parish
parhaol	permanent
gwych	excellent
comisiynu	to commission
cyngor cymuned	community council
dathlu	to celebrate
marchogaeth	to ride
gŵyl werin	folk festival

GWEITHGAREDDAU

1. Canolfan Farchogaeth Brynllun, Bwlch-llan, Llanbedr Pont Steffan. 0974 821351.
2. Gŵyl y Cnapan, mis Gorffennaf bob blwyddyn, Ffostrasol. (Gŵyl werin am wythnos gyfan. 055936 2253)

Pont Trefechan, Aberystwyth: protest gyntaf Cymdeithas yr Iaith Gymraeg (Llyfrgell Genedlaethol Cymru)

cyfoethog yr hen blwyf pwysig hwn. Mae'n rhaid i chi ei gweld hi. Un o bobl fwyaf enwog Llanbadarn Fawr oedd y bardd Dafydd ap Gwilym. Mae'n debyg ei fod e wedi cael ei eni ym Mrogynin yn y plwyf hwn, tua 1320, ac fe dreuliodd e lawer o'i oes yma. Un o'i gerddi enwog yw 'Merched Llanbadarn'. Fe allwch chi ddarllen y gerdd a chyfieithiad Saesneg ohoni yn yr arddangosfa yn yr eglwys. Roedd Dafydd yn hoff iawn o ferched, ac roedd e'n ysgrifennu llawer o gerddi serch, yn arbennig am ei ddwy gariadferch, Morfudd a Dyddgu. Mae Dafydd ap Gwilym yn un o feirdd gorau Cymru; roedd e'n dda iawn am chwarae ar eiriau ac fe ddaeth e ag elfennau newydd i farddoniaeth Gymraeg. Roedd e'n deall Ffrangeg ac fe fenthycodd e eiriau Ffrangeg i'w farddoniaeth. Roedd e'n hoffi chwarae gyda geiriau, ac fe arbrofodd e gyda'r gynghanedd. Fe deithiodd e i bob rhan o Gymru, gan ymweld ag uchelwyr a mynachlogydd. Roedd e'n gallu gwneud hwyl am ei ben ei hun; yn y gerdd 'Trafferth mewn Tafarn' mae e'n adrodd stori amdano ei hun yn deffro tri Sais mewn tafarn wrth iddo chwilio am wely merch yr oedd e wedi ei ffansïo. Ar ôl llawer o sŵn a thrafferth roedd yn rhaid i Dafydd fynd yn ôl i'w wely ei hun! Dyma ddisgrifiad Dafydd o'r tri Sais.

Yr oedd gerllaw muroedd mawr
Drisais mewn gwely drewsawr,
Yn trafferth am eu triphac –
Hicin a Siencin a Siac.
Syganai'r gwas soeg enau,
Araith oedd ddig, wrth y ddau.
'Mae Cymro, taer gyffro twyll,
Yn rhodio yma'n rhidwyll;
Lleidr yw ef, os goddefwn,
'Mogelwch, cedwch rhag hwn.'

A dyma gyfieithiad Joseph P. Clancy o'r llinellau:

Next the thick walls there lay in
A stinking bed three Saxons
Bothered about their bundles,
Hickin and Jenkin and Jack.

Whispered the filthy-mouthed lad,
Angry speech, to the others:
'A Welshman's din to dupe us,
Stalking here treacherously;
He'll steal, if we allow it;
Take heed, be on your guard.'

Mae'n debyg fod Dafydd ap Gwilym wedi cael ei gladdu yn **Abaty Ystrad-fflur** (SN 746/657) ger **Pontrhydfendigaid**, a dyna lle yr awn ni nesaf. Dilynwch yr A4120 o Lanbadarn Fawr i fyny'r bryn i Benparcau. Trowch i'r chwith ac yn syth i'r chwith eto a dilynwch y B4340 i Bontrhydfendigaid. Trowch ar y chwith ym mhen draw'r pentref a dilynwch y ffordd hon am un filltir drwy ddyffryn y blodau (dyna ystyr 'Ystrad-fflur') i'r abaty. Fe ddes i yma am y tro cyntaf yn 1984 pan oedd fy ffrind a minnau'n cerdded ar hyd Cymru. Roedden ni wedi cysgu'r nos ar y bryniau uwchben Cwm Berwyn, ac fe ddaethon ni i lawr i'r abaty erbyn tua naw o'r gloch ar fore o haf cyn i'r lle lenwi gydag ymwelwyr.

Abaty Ystrad-fflur oedd prif abaty Cymru yn yr Oesoedd Canol. Cafodd tywysogion eu claddu yma ac fe gafodd llyfr am hanes Cymru, *Brut y Tywysogion*, ei lunio yma. Dyma lle dewisodd Llywelyn Fawr ddod â phobl bwysig ei deyrnas at ei gilydd i dalu gwrogaeth i'w etifedd, Dafydd, yn 1238. Yr Arglwydd Rhys oedd noddwr Cymreig cyntaf yr abaty. Ef oedd brenin y Deheubarth, un o dair brenhiniaeth Cymru. Mae'n siŵr fod llawer o feirdd yn cael croeso gan y mynaich a nawdd gan yr Arglwydd Rhys. Hwn oedd un o lefydd pwysicaf Cymru.

Cyn i chi adael Ystrad-fflur, ewch i fynwent yr eglwys. Mae bedd anarferol iawn yno. Does dim corff cyfan yn y bedd yma, dim ond coes. Ie, coes! Cafodd y goes ei chladdu yma ond fe gladdwyd gweddill y corff rai blynyddoedd wedyn yn America! Ewch i weld y garreg fedd o dan yr ywen.

Ewch yn ôl i ganol Pontrhydfendigaid a dilynwch y B4343 i **Dregaron**, gan gadw **Cors Caron** ar y dde i chi. Mae bywyd gwyllt cyfoethog iawn yn y gors fawr hon; mae'n lle da i wylio adar a chwilio am blanhigion prin. Fe allech chi ddilyn y daith natur drwy'r gors. Mae hi'n rhan o'r Warchodfa Natur Genedlaethol.

Mae tref farchnad Tregaron yn enwog fel canolfan ferlota. Mae bryniau unig yr ardal yn wych ar gyfer teithiau hir ar gefn ceffyl. Mae bri

G E I R F A

mae'n debyg fod	it's probable that
claddu	to bury
abaty	abbey
dyna lle yr awn ni . . .	that's where we'll go . . .
ym mhen draw . . .	at the far end of . . .
yr Oesoedd Canol	the Middle Ages
llunio	to create, to form
Dyma lle dewisodd . . .	this is where . . . chose . . .
teyrnas	kingdom
gwrogaeth	homage
etifedd	heir
noddwr	patron
brenhiniaeth	kingdom
mynach (mynaich)	monk(s)
nawdd	patronage
mynwent	graveyard
bedd	grave
anarferol	unusual
corff	body
cyfan	whole
gweddill	the rest
ywen	yew tree
cors	marsh, bog
planhigion	plants
prin	scarce
taith natur	nature trail
gwarchodfa	reservation
merlota	pony-trekking
trotian	to trot

GEIRFA

apostol heddwch	apostle of peace
cerflun	statue
gemwaith	jewellery
patrwm (patrymau)	pattern(s)
awyrgylch	atmosphere
barcud	kite
blwch	box
i gyfeiriad . . .	in the direction of . . .
cynfyd	the old world
y pryd hynny	at that time
gwasanaeth(au)	service(s)

mawr ar drotian yma hefyd, ac mae rasys trotian yn cael eu cynnal yma o dro i dro. Un dyn sydd wedi rhoi Tregaron ar y map ydy Henry Richard, yr Apostol Heddwch. Fe gafodd e ei eni yn Nhregaron yn 1812 ac fe ddaeth e'n Aelod Seneddol Merthyr Tudful yn 1868. Fe weithiodd e'n galed i geisio cael gwledydd i fyw mewn heddwch gyda'i gilydd a dyna sut y cafodd e'r enw 'Apostol Heddwch'. Buodd e'n ysgrifennydd y Gymdeithas Heddwch. Gan ei fod e'n gwneud cymaint o waith dros Gymru fel Aelod Seneddol, roedd e'n cael ei adnabod fel 'Yr Aelod dros Gymru'.

Mae cerflun ohono fe ar sgwâr Tregaron. Hefyd ar y sgwâr mae siop gemwaith Rhiannon. Mae pobl yn teithio ar draws y byd i Dregaron i brynu'r gemwaith Celtaidd hwn. Os oes arian yn llosgi yn eich poced, ewch i mewn i weld ac i brynu. Mae Rhiannon Evans yn defnyddio hen batrymau a ffigurau Celtaidd yn ei gemwaith, ac aur sy'n dod o Gymru. Fe gewch chi fwyd a diod da mewn awyrgylch Cymreig yng Ngwesty'r Talbot ar y sgwâr cyn i chi fynd ymlaen i Aberaeron. Ond, arhoswch funud. A oes rhaid i chi ruthro? Ar y bryniau uwchben Tregaron mae'r barcud yn nythu. Mae yna dir agored gwyllt ac unig, ac ymhell o bob man yng nghanol y bryniau mae **Capel Soar-y-mynydd**. Dilynwch arwydd Soar-y-mynydd o sgwâr Tregaron a gyrrwch i fyny'r ffordd gul ar hyd Cwm Berwyn. Byddwch yn ofalus; cofiwch eiriau Harri Webb:

This is a way to come in winter. This is a way
Of steep gradients, bad corner for car,
It is metalled now, but this is a way
Trodden out by cattle, paced yet by the ghosts
Of drovers . . .

(O'r gerdd Above Tregaron, allan o Collected Poems, 1950-1969)

Ymhen pedair milltir fe welwch chi Ddiffwys ar ochr chwith y ffordd. Mae hon yn ganolfan awyr agored sydd wedi cael ei defnyddio lawer gan CYD i gynnal penwythnosau. Os hoffech chi dreulio ychydig o amser yn cerdded ac yn gwylio'r barcud, gyrrwch ymlaen am ddwy filltir arall drwy'r goedwig at y blwch ffôn wrth y groesffordd. Parciwch y car yma, a cherddwch ar y llwybr cyhoeddus drwy fferm Nant-y-maen i'r bryniau. (Tasech chi'n cerdded yn ddigon pell basech chi'n cyrraedd Abaty Ystrad Fflur.) Dair milltir ymhellach ar y ffordd hon, i gyfeiriad Llyn Brianne, mae Soar-y-mynydd (SN 784/534). Fe fyddwch chi'n camu'n ôl i'r cynfyd wrth gerdded i mewn i'r capel hwn. Mae'n adeilad bychan, gwyn, syml ar lan afon Camddwr. Fe gafodd e ei adeiladu tua 1822. Roedd digon o bobl yn byw ac yn gweithio ar y ffermydd y pryd hynny i lenwi'r capel bob dydd Sul. Roedden nhw i gyd yn dod yma ar gefn poni cyn i'r ffordd darmac gael ei chodi yn y 60au. Erbyn heddiw dim ond yn yr haf maen nhw'n cynnal gwasanaethau, ond mae bysys llawn yn cario pobl yma o bob rhan o Gymru i'r gwasanaeth ar brynhawn Sul.

Ar ôl i chi gael awyr iach yn y bryniau, ewch yn ôl i Dregaron a dilynwch yr A485 am un filltir i gyfeiriad Llambed. Yna trowch ar y dde a dilynwch y B4342 drwy **Langeitho** i bentref Tal-sarn. Yn Nhal-sarn, trowch ar y chwith, ewch dros y bont, ac ymhen hanner milltir trowch ar y dde i'r **Felin-fach**. Yn y Felin-fach fe fyddwch chi'n ymuno â'r A482 i **Aberaeron**. Mae Llangeitho'n enwog ers y Diwygiad Methodistaidd yng Nghymru yn y 18fed ganrif pan oedd miloedd o bobl yn teithio yma o bob rhan o Gymru i glywed Daniel Rowland, un o arweinwyr y diwygiad, yn pregethu. Mae cofgolofn iddo fe ger y capel. Wrth i chi fynd allan o'r Felin-fach i gyfeiriad Aberaeron fe welwch chi Theatr Felin-fach ar y dde. Mae cwmni drama lleol bywiog iawn yn y theatr hon, ac maen nhw'n perfformio pantomeim poblogaidd iawn bob Nadolig.

Un o fy hoff bethau yn Aberaeron ydy'r hufen iâ mêl sydd ar werth yn yr harbwr. Ar ddiwrnod prysur yn yr haf, fe allwch chi glywed lleisiau o bob rhan o'r byd wrth yr harbwr. Mae harbwr a thai chwaethus Aberaeron yn denu llawer o ymwelwyr, ac mae miloedd o lowyr de Cymru wedi bod

Llyfrgell Genedlaethol Cymru (W. Greller)

yma ar eu gwyliau ar hyd y blynyddoedd. Yn wahanol i'r rhan fwyaf o drefi Cymru mae Aberaeron wedi cael ei chynllunio'n ofalus gyda rhesi o dai braf ar strydoedd llydan o gwmpas y Green. Os ydych chi'n teimlo'n fentrus, fe allech chi groesi o un ochr i'r harbwr i'r llall yn y *cable car*. Fel arall, croeswch ar y bont droed newydd sbon.

Mwynhewch y daith ar hyd y glannau drwy Llan-non, Llanrhystud a Llanfarian yn ôl i Aberystwyth. Dyna chi wedi cael golwg dda ar Geredigion, neu 'Sir Aberteifi' fel mae'r Cardis yn ei galw hyd heddiw. Dyma ddisgrifiad y bardd Evan Jenkins o'r sir:

Sir y mawn, sir y meini, – sir y mwn
Sir mynych bentrefi,
A sir llawnt a phleser lli
O flin drafael hen drefi.

GEIRFA

diwygiad	revival
arweinydd (arweinwyr)	leader(s)
cofgolofn	memorial
bywiog	lively
mêl	honey
chwaethus	tasteful
denu	to attract
gofalus	careful
rhes(i)	row(s)
llydan	wide
mentrus	adventurous
newydd sbon	brand new
Cardis = Pobl Ceredigion. Maen nhw'n enwog am fod yn ofalus gydag arian.	
mawn	peat
maen (meini)	stone(s)
mwn = mwyn	mineral, e.g. gold or lead
mynych	numerous
llawnt	lawn
lli	sea
blin	tedious
trafael	travail
chithau = chi hefyd	

Gobeithio eich bod chithau wedi mwynhau pleser y lli. Dydd da i chi.

TAITH SAITH

Pan oeddwn yn un ar bymtheg oed, fe gerddodd fy ffrind a minnau ar hyd Llwybr Clawdd Offa, o Gas-gwent yn y de i Brestatyn yn y gogledd. Dyna i chi ffordd wych o dreulio gwyliau'r haf, yn enwedig pan fydd gennych chi wyliau hir. Ond doedd y daith ddim yn fêl i gyd. Erbyn cyrraedd **Y Gelli Gandryll** roedd gen i bothell fawr ar fy nhroed, a honno wedi mynd yn ddrwg. Ar ben hynny, roedd gwadnau fy esgidiau cerdded wedi dechrau dod yn rhydd, ac roedd hynny'n gwneud y bothell yn waeth. Y noson cynt roedden ni wedi bod yn gwersylla wrth droed Pen y Begwn ar ôl cerdded ar hyd *Hatterall Ridge* o Pandy. Pan ddeffron ni yn y bore, roedd hi'n bwrw glaw yn drwm iawn. Doedd dim i'w wneud ond cerdded i lawr i'r Gelli Gandryll yn y glaw, gydag esgid fawr ar un droed a *flip-flop* ar y droed arall. Mae'n siŵr fy mod i'n edrych yn od iawn wrth gerdded i mewn i'r Gelli Gandryll y diwrnod hwnnw.

Diwedd y stori oedd i Paul a minnau aros am dri diwrnod yn Y Gelli Gandryll tra oedd fy mhothell yn gwella. Rhoddodd hynny amser i mi brynu pâr o esgidiau newydd ac i grwydro o gwmpas y dref ryfeddol hon.

Cyn i mi gyrraedd Y Gelli yn y glaw yn fy *flip-flop*, doeddwn i ddim yn gwybod unrhyw beth am y dref. Ond fe ddysgais yn sydyn. Yma mae'r siop llyfrau ail-law fwyaf yn y byd. Ac nid un siop llyfrau ail-law sydd yma; mae un ym mhob twll a chornel. Dyma wlad y seidr hefyd, fel y dysgais yn un ar bymtheg oed, ac mae digon o lefydd yn y dref i fwyta ac yfed. Mae llawer o siopau hen bethau yma

GEIRFA

un ar bymtheg	16
Clawdd Offa	Offa's Dyke
Cas-gwent	Chepstow
treulio	to spend (time)
yn enwedig	especially
ddim yn fêl i gyd	not all plain sailing, not a bed of roses
Y Gelli Gandryll	Hay on Wye
pothell	blister
gwadn(au)	sole(s)
gwersylla	to camp
Pen y Begwn	Hay Bluff
ym mhob twll a chornel	i.e. everywhere you look
seidr	cider
hen bethau	antiques
siglo	to rock
gŵyl lenyddol	literary festival
cynnal	to hold
awdur(on)	authors

hefyd. Byddai'n ddigon hawdd i chi adael y Gelli gyda'r car (a'r trelar) yn llawn o hen lyfrau, hen lestri, hen silff lyfrau, hen gadair siglo a hen le tân. Mae'n werth i chi dreulio amser yn cerdded o gwmpas y strydoedd, a chofiwch ymweld â'r Café Royal a'r Three Tuns yn Bridge Street.

Does dim rhyfedd bod Gŵyl Lenyddol fawr yn cael ei chynnal yn y Gelli bob haf. Mae'r ŵyl yn para wythnos, ac mae awduron o bob rhan o'r byd yn dod yma i roi darlleniadau cyhoeddus, i ddadlau a thrafod, i falu awyr yn ddeallus ac, wel, i brynu llyfrau ail-law siŵr o fod.

Ond beth am yr enw, y Gelli Gandryll? Enw anarferol. Llwyn o goed ydy 'gelli', y gair Cymraeg am *grove*. Yn ôl y diweddar Athro Bedwyr Lewis Jones, mae 'dryll' yn gallu golygu darn bach o dir. Felly 'candryll' ydy cant o ddarnau bach o dir. Efallai mai daliad o gant darn bach o dir oedd yn y Gelli Gandryll. Mae'r enw Saesneg *Hay* yn dod o'r Ffrangeg *haie*, sef lle wedi'i gau i mewn, 'enclosure' yn Saesneg. Yr un *haie* sydd yn yr Hague. Mae Richard Sale yn ei lyfr *The Wye Valley* yn awgrymu bod coed yn arfer amgylchynu'r dref. Oedd y coed yn sanctaidd? Fuodd y

Derwyddon yma? Mae yna lawer o ffynhonnau sanctaidd yn yr ardal. Beth oedd yn cael ei addoli yma erstalwm tybed?

Mae'r Gelli Gandryll ar y ffin rhwng Cymru a Lloegr. Does dim disgwyl i chi glywed llawer o Gymraeg yma, ond mae un o aelodau CYD yn gweithio fel cyfreithiwr yn y dref. Mae e wedi dysgu Cymraeg, ac mae'n dweud bod ganddo rai clientiaid sy'n hoffi gwneud eu busnes drwy gyfrwng y Gymraeg.

Perchennog y siop lyfrau ail-law fwyaf yn y byd ydy 'Syr' Richard Booth. Mae'n gymeriad enwog, ac egsentrig hefyd, medden nhw. Mae Richard Booth wedi dod â'r dref i sylw'r byd ac, o dan ei ddylanwad ef, mae'r dref wedi datgan *UDI* a chynhyrchu pasbort arbennig.

Y plasty wrth ymyl adfeilion y castell ydy canolfan y fasnach lyfrau. Cafodd y castell cyntaf, a'r muriau o gwmpas y dref, eu codi gan y Normaniaid. Roedd y Gelli yn lle pwysig i'r Normaniaid, ar y ffin rhwng Cymru a Lloegr. Dyma oedd y porth i Gymru. Ond cafodd y castell a'r dref eu llosgi yn ystod gwrthryfel Owain Glyndŵr. Ewch i weld mur y dref, sy'n dal i sefyll mewn rhai mannau.

GEIRFA

cyhoeddus	public
dadlau	to argue
trafod	to discuss
malu awyr	to talk rot
deallus	intelligent
anarferol	unusual
diweddar	late
golygu	to mean
daliad	holding
awgrymu	to suggest
amgylchynu	to surround
sanctaidd	holy, sacred
derwyddon	druids
ffynnon (ffynhonnau)	well(s)
addoli	to worship
erstalwm	years ago
ffin	boundary
does dim disgwyl i chi	you are not expected to
cyfreithiwr	solicitor
drwy gyfrwng	through the medium of
perchennog	owner
cymeriad	character
dylanwad	influence
datgan	to proclaim, to announce
cynhyrchu	to produce
plasty	mansion
adfail (adfeilion)	ruin(s)
masnach	trade
mur(iau)	wall(s)
porth	gateway
gwrthryfel	rebellion

GEIRFA

anghyffredin	uncommon, unusual
yn gymysg	a mixture
llenor(ion)	writer(s)
i gyfeiriad	in the direction of
Y Fenni	Abergavenny
mynwent	graveyard
tröedigaeth	conversion
arweinydd (arweinwyr)	leader(s)
diwygiad	revival
bedd	grave
arysgrif	inscription
cangell	chancel
ordeinio	to ordain
cydio	to grasp, to hold on to
dychmygu	to imagine
tanbaid	fervent
sefydlu	to found
cymuned	community
mynachlog	monastery
cynhadledd (cynadleddau)	conference(s)

Nid llyfrau, hen bethau a seidr ydy'r unig bethau pwysig yn y Gelli. Mae hi'n dref farchnad fywiog. Mae yna farchnad geffylau a defaid yma. Mae hi'n dref anghyffredin iawn, yn gymysg o ymwelwyr, siopwyr, llenorion, darllenwyr a ffermwyr.

Gadewch Y Gelli Gandryll ar yr A438 i'r gorllewin a dilynwch y ffordd hon hyd at Bronllys. Ym Mronllys, trowch i'r chwith a dilynwch yr A479 i **Dalgarth**. Fe allech chi fynd yn syth ymlaen i gyfeiriad y Fenni. Ond beth am aros am funud i weld un neu ddau o bethau enwog yn Nhalgarth?

Ym mynwent Eglwys Talgarth y cafodd yr emyndd enwog, William Williams, Pantycelyn dröedigaeth wrth wrando ar Howel Harris yn pregethu, tua 1737. Daeth Williams Pantycelyn a Howel Harris yn arweinwyr y Diwygiad Methodistaidd yng Nghymru yn y 18fed ganrif. Dilynwch y strydoedd cul a'r tai teras twt i weld yr eglwys. Mae

Clawdd Offa (W.Greller)

bedd Howel Harris yn yr eglwys ac mae arysgrif ar y gangell yn ei ddisgrifio fel 'the first itinerant preacher of Redemption'.

Roedd Howel Harris yn pregethu yn aml yn yr awyr agored ac mewn cartrefi. Oherwydd hynny, doedd e ddim yn boblogaidd iawn gan arweinwyr yr Eglwys, a doedden nhw ddim yn fodlon ei ordeinio. Ond neges Howel Harris oedd yn cydio yn y bobl gyffredin, nid y pregethu o'r pulpud. Dychmygwch yr eglwys yn hanner gwag, a'r fynwent yn llawn o bobl yn gwrando ar bregethu tanbaid!

Sefydlodd Howel Harris gymuned neu 'deulu' o Gristnogion yn **Nhrefeca** (SO 143/321), un filltir i'r de o Dalgarth ar y B4560. Dychmygwch y teulu prysur o Gristnogion yn byw, gweithio ac addoli gyda'i gilydd; rhyw fath o *commune* Cristnogol digon tebyg i'r mynachlogydd erstalwm siŵr o fod. Erbyn heddiw mae'r Coleg yn ganolfan gynadleddau i

Eglwys Bresbyteraidd Cymru. Ewch i mewn i **Gapel Coffa Howel Harris** a adeiladwyd yn 1873. Mae Amgueddfa Howel Harries yn y Capel Coffa. I wneud yn siŵr fod y capel yn agored, fe allech chi ffonio'r warden cyn dechrau'r daith ar 01874 711423.

Dilynwch yr A479 o Dalgarth am tua saith milltir i **Dretŵr**. Byddwch yn teithio drwy ganol y Mynyddoedd Du. Dyma'r ardal a wnaed yn enwog gan y nofelydd Eingl-Gymreig, Raymond Williams. Mae'n ardal enwog iawn am ei merlod hefyd. Mae pobl yn teithio yma o bedwar ban y byd i ferlota. Fe ddes i yma ar wyliau marchogaeth ceffylau gyda'r teulu pan oeddwn yn

Cwrt Tretŵr (Wolfgang Greller)

bedair ar ddeg. Roedden ni'n aros yng Nghanolfan Ferlota Cwmfforest. Mae'r ganolfan yn dal i fynd heddiw. Byddwch yn gweld yr arwydd ar y chwith ar ôl mynd drwy Bengefnffordd ar y ffordd i Dretŵr. Os oes gennych chi amser, mentrwch ar gefn ceffyl. Dyna'r ffordd orau i weld y Mynyddoedd Du, yn enwedig os ydych chi wedi arfer marchogaeth.

Mae'r ffordd yn ymdroelli i lawr y cwm o Bengefnffordd yng nghwmni afon Rhiangoll i bentref Tretŵr (SO 186/211).

Yn Nhretŵr, yng nghanol y Mynyddoedd Du, mae un o gartrefi canoloesol gorau Cymru, **Cwrt Tretŵr**. 'Cadw' sy'n gofalu am y lle nawr ac mae drws agored i chi fynd yno ar unrhyw adeg o'r flwyddyn ac eithrio gwyliau'r Nadolig a dydd Calan. Fe awn ni i mewn gyda'n gilydd. Ie, dewch, dilynwch fi drwy'r porth hynafol. Cofiwch dalu'r bobl glên yn y cwt pren a gofynnwch iddyn nhw am y peiriant amser, *y time machine*. Byddwch yn cael peiriant tebyg i Walkman (ar gael yn y Gymraeg neu Saesneg). Bydd y peiriant arbennig hwn yn mynd â ni

GWEITHGAREDDAU

1. Sioe Frenhinol Amaethyddol Cymru, Llanelwedd ger Llanfair-ym-Muallt ym mis Gorffennaf bob blwyddyn. 0982 553683.
2. Gŵyl Lenyddol Y Gelli, d/o Cyngor Celfyddydau Cymru. 0222 394711.

BWYD

1. The Old Black Lion, Y Gelli Gandryll. 0497 820841.
2. The New Inn, Talgarth. 0874 711581.

yn ôl i'r 15fed ganrif wrth i ni grwydro o un ystafell i'r llall. Bydd yn dod â hanes y lle yn hollol fyw o flaen ein llygaid. Bydd y peiriant amser yn dweud wrthyn ni pwy oedd yn byw ac yn gweithio yno, sut roedd y Cwrt yn edrych yn wreiddiol, pa fath o sŵn ac arogl oedd yno, a sut mae'r lle wedi cael ei foderneiddio drwy'r canrifoedd. Fe awn ni gyda'n gilydd i'r ardd hefyd. Maen nhw wedi ailblannu'r ardd fel yr oedd yn y 15fed ganrif. Roedd cael gardd yn bwysig i ddynion fel Roger Vaughan, cyn-berchennog y Cwrt, yn union fel mae pobl gyfoethog heddiw'n hoffi cael pwll nofio yn yr ardd, *jacuzzi* a *sauna* personol a Rolls Royce y tu allan i'r tŷ. Dylech chi ymweld â Thretŵr yn yr haf i weld yr ardd yn ei gogoniant.

Ond pwy oedd y Roger Vaughan yma? Sut oedd e'n gallu fforddio tŷ mor gyfforddus a gardd mor brydferth? Roedd Roger Vaughan, a'i hanner brawd, Syr William Herbert o Raglan, yn cefnogi Edward IV yn ystod Rhyfel y Rhosynnau yn y 15fed ganrif. Fe ddaeth Roger yn 'Syr' Roger yn 1464 fel gwobr am fod yn deyrngar i'r Brenin. Cafodd Tretŵr ei roi yn anrheg iddo gan ei hanner brawd. Maen nhw'n dweud mai Syr Roger

Vaughan oedd y dyn cyffredin mwyaf cyfoethog yng Nghymru yn y cyfnod hwnnw.

Fe welwch chi olion tŵr yr hen gastell o'r Cwrt. Mae'r castell yma ers yr 11eg ganrif pan ddaeth marchog Normanaidd o'r enw Picard i'r ardal hon i feddiannu rhan o hen deyrnas Brycheiniog.

Mae'n werth i chi dreulio dwy awr o leiaf yn Nhretŵr, yn enwedig yn yr haf.

Dyma ddiwedd y daith yn barod. Gobeithio eich bod wedi cael diwrnod da ar y Gororau. I mi, dyma un o ardaloedd gorau Cymru, ac rwy'n byw yn y gobaith y bydd mwy o Gymraeg yma eto rhyw dydd. Mae'r Gymraeg wedi dechrau ennill tir yng Ngwent unwaith eto. Pwy a ŵyr na welwn yr iaith hefyd yn gwthio tua de Powys? Fe allech chi fynd yn ôl yr un ffordd i'r Gelli, neu ddilyn y daith nesaf i Grucywel, Priordy Llanddewi Nant Hodni a Chapel-y-ffin.

TAITH WYTH

Mae sawl ffordd yn arwain i dref farchnad **Crucywel** (neu Crughywel). Mae'r rhan fwyaf o bobl yn dod iddi ar hyd yr A40 o Aberhonddu neu'r Fenni. Mae'n llawer gwell gen i groesi'r bont ar draws afon Wysg o Langatwg. Mae'r afon lydan yn llifo o dan bont garreg hir. Wrth ddringo'r ffordd serth o'r bont i ganol y dref, fe ddaw'r Bear Hotel i'r golwg yn y pellter. Hwn ydy'r lle mwyaf enwog yng Nghrucywel i nifer o bobl. Hen dafarn y goets fawr ydy hi, ac mae hi mor brysur heddiw ag y bu hi erioed. Mae'r Bear wedi ennill llawer o wobrau pwysig yn ddiweddar. Yn 1990, dyma lle'r oedd y Bar Gwesty Gorau ym Mhrydain Fawr yn ôl Egon Ronay, a hon oedd y dafarn orau ym Mhrydain yn 1993. Aeth fy ngwraig a minnau yno ar nos Sadwrn ym mis Ionawr i weld a oedd Egon Ronay yn iawn. Fe gerddon ni i mewn i far yn llawn o hen ddodrefn chwaethus. Wrth brynu diod ac archebu bwyd fe ddywedais yn reit ddiniwed fy mod yn ysgrifennu llyfr i ddysgwyr. 'Efallai y galla i ysgrifennu gair am y Bear,' meddwn i. Ymhen llai na phum munud roedd un o reolwyr y gwesty yn ein tywys ni o un ystafell chwaethus i'r llall. Mae yno ddwy ystafell fwyta, ac mae'r ddwy yn hollol wahanol i'w gilydd. Mae gan yr ystafell fwyaf drawstiau derw a waliau cerrig, ac mae carthenni hardd yn gorchuddio'r llawr cerrig. Mae'r llall yn fach ac yn glyd gyda

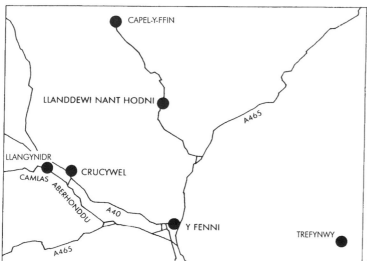

G E I R F A	
sawl	several
Crucywel	Crickhowell
Y Fenni	Abergavenny
Wysg	Usk
serth	steep
coets fawr	stage coach
ag y buodd hi erioed	as it ever was
yn ôl	according to
dodrefn	furniture
chwaethus	tasteful
archebu	to order
diniwed	innocent
meddwn i	I said
ymhen	within, in
rheolwr (rheolwyr)	manager(s)
tywys	to lead
trawst(iau)	beam(s)
derw	oak
carthen(ni)	rug(s)
gorchuddio	to cover
clyd	cosy

GEIRFA

medden ninnau	said we
moethus	luxurious
cystal bob tamaid	every bit as good
meddai	said
y diweddar	the late
Athro	Professor
twmpath	pile, heap
carnedd	cairn
caledu	to harden
blasus	tasty
gwydraid	glassful
prydferth	pretty
camlas	canal
cludo	to carry

GWEITHGAREDDAU

1. Cwmyoy Pony Trekking Centre (ger Priordy Llanddewi Nant Hodni). 0973 890359.
2. The Museum of Childhood and Home, Y Fenni. 0873 850063. Agored drwy'r flwyddyn.

chanhwyllau a blodau ffres ar y byrddau. 'Would you like to see the honeymoon suite?' meddai hi. 'Iawn,' medden ninnau, a dyma ni'n cerdded i

Gwesty'r Bear, Crucywel

ystafell foethus lle'r oedd gwely *four poster*, gwydrau siampên a *jacuzzi*. Os nad ydych chi wedi priodi eto, dyma'r lle i fynd.

Chawson ni ddim trafferth o gwbl i fwyta'r pryd gorau a gawsom erioed mewn tafarn. Roedd y bwyd cystal bob tamaid â Gwesty Portmeirion meddai fy ngwraig, ac roedd yn rhaid i mi gytuno. Dim ond bwyd bar oedd hynny. Mae *restaurant* yno hefyd.

'Cryghywel' ydy'r enw Cymraeg a welwch chi ar yr arwydd wrth ddod i mewn i'r dref. *Crucywel* meddai'r diweddar Athro Bedwyr Lewis Jones. Mae 'crug', sef twmpath o gerrig, carnedd, bryn bach, *cairn, mound*, yn caledu i cru̱c o flaen yr *h* yn Hywel.

Mae'n siŵr fod Hywel yn arglwydd lleol.

Ar ôl i chi fwynhau pryd o fwyd blasus a gwydraid o gwrw traddodiadol (ond nid i'r gyrrwr!) yn y Bear, ewch am dro o gwmpas y dref. Mae'r dref yn brysur iawn ar ddiwrnod marchnad gyda'r ffermwyr yn mynd a dod.

Yn ystod Eisteddfod Genedlaethol Cwm Rhymni yn 1990 fe arhoson ni yn Llangynidr, pentref prydferth ar lan afon Wysg dair milltir i'r gorllewin o Grucywel. Un prynhawn braf fe gerddon ni ar hyd y gamlas o Langynidr i Langatwg. Hon yw **Camlas Aberhonddu a Mynwy**. Roedd hi'n arfer cael ei defnyddio i gludo glo, haearn a chalch i ddiwydiannau de Cymru neu i gael eu hallforio o Gasnewydd. Roedd dwy gamlas ar y dechrau: Camlas Mynwy a Chasnewydd a Chamlas y Fenni a Brycheiniog. Daeth y ddwy gamlas yn un yn 1812. Erbyn heddiw, does dim llawer o ôl pedolau ar y llwybr ceffyl ar lan y gamlas; peiriannau sy'n gyrru'r cychod pleser sy'n teithio ar y gamlas heddiw. Er hynny, fe gewch chi dro tawel braf ar hyd y gamlas, hyd yn oed ym mis Awst.

Ar ôl treulio rhai oriau yn mwynhau Crucywel, fe awn ni ar bererindod i **Briordy Llanddewi Nant Hodni** (SO 289/278). Dilynwch yr A40 o ganol Crucywel i gyfeiriad y Fenni a chyn gadael y dref trowch ar y chwith ar ôl yr orsaf dân. Dilynwch yr arwyddion i Lanbedr (Llanbedr Ystrad Yw) am y ddwy filltir gyntaf. Fe allech chi aros am funud yn y pentref unig hwn i weld yr eglwys hynafol. Yna dilynwch arwyddion Llanthony Abbey ar hyd ffyrdd bychain cul am 10 milltir gan gadw Mynydd Pen-y-fâl (y *Sugar Loaf*) ar y dde i chi.

Mae Llanddewi Nant Hodni mewn llecyn tawel yn Nyffryn Ewas. Tawel? Ydy, siŵr o fod, ond nid bob amser. Fe es i yno ar brynhawn Sadwrn yn y gaeaf. Roedd y maes parcio mawr yn llawn o geir, ac yn ôl y sŵn fe allwn i fod yn y *Wild West*. Roedd dynion yn saethu ffesantod yn y coed ar lethrau'r ddyffryn, a chyn i mi ffarwelio â'r priordy roedden nhw wedi cyrraedd yn ôl i'r maes parcio gyda threlar yn llawn o adar. Diolch byth nad oedd gynnau ar gael pan gafodd y priordy Awstinaidd ei sefydlu yma ar ddechrau'r 12fed ganrif. Ond arhoswch funud; yn ôl yr hanes buodd digon o drwbwl yma yn y dyddiau cynnar. Cafodd y priordy ei sefydlu gan William, un o farchogion Hugh de Lacey. Ie, un o'r Normaniaid yn sefydlu cymuned Awstinaidd yng nghanol y Cymry. Roedd William wedi dod ar draws adfail o gapel a oedd wedi ei gysegru i Dewi Sant. Penderfynodd y byddai'n rhoi'r gorau i ymladd er mwyn sefydlu priordy a chytunodd Hugh de Lacey i'w noddi. Hwn oedd y priordy Awstinaidd cyntaf yng Nghymru. Daeth yn sefydliad pwysig iawn yn yr ardal. Roedd 40 o ganoniaid yma, ac roedd ganddyn nhw lawer o dir a chyfoeth. Sut roedd y Cymry lleol yn teimlo? Oedden nhw'n croesawu eu cymdogion newydd? Dim peryg! Yn 1135 bu farw brenin Lloegr, Harri I, un o noddwyr y

GEIRFA	
haearn	iron
calch	lime
diwydiant	industry
(diwydiannau)	(industries)
allforio	to export
Casnewydd	Newport
Mynwy	Monmouthshire
Brycheiniog	Breconshire
ôl	trace
pedol(au)	horseshoe(s)
cwch (cychod)	boat(s)
hyd yn oed	even
pererindod	pilgrimage
priordy	priory
Llanddewi Nant Hodni	Llanthony
i gyfeiriad	in the direction of
hynafol	ancient
cul	narrow
saethu	to shoot
llethr(au)	slope(s)
gwn (gynnau)	gun(s)
ar gael	available, in existence
Awstinaidd	Augustine
sefydlu	to found
marchog(ion)	knight(s)
cymuned	community
adfail	ruin
cysegru	to consecrate
rhoi'r gorau i	to give up
noddi	to give patronage to
cymydog (cymdogion)	neighbour(s)
dim peryg	certainly not
bu farw . . .	. . . died
noddwr (noddwyr)	patron(s)

GEIRFA

gwrthryfel	rebellion
safle	location
Caerloyw	Gloucester
fodd bynnag	however
bwa (bwâu)	arch(es)
atgoffa	to remind
perchen (ar)	owner (of)
tarfu (ar)	to disturb
rhegi	to swear
gwylnos	wake
claddu	to bury
mur(iau)	wall(s)
tropyn	a drop
Y Gelli Gandryll	Hay on Wye
cysgodi	to shelter
ywen (yw)	yew tree(s)
awyrgylch	atmosphere
yn enwedig	especially
denu	to attract
clerigwr	churchman
mynachlog(ydd)	monastery(ies)
llethr(au)	slope(s)
chwedl(au)	tale(s)
call	wise
clogyn	cloak

priordy. Gwelodd y Cymry lleol eu cyfle a chododd gwrthryfel yn erbyn y priordy yn 1136. Bu'n rhaid i'r gymuned Awstinaidd ffoi i safle newydd ger Caerloyw.

Erbyn diwedd y 12fed ganrif, fodd bynnag, roedd yr Awstiniaid yn ôl yn Llanddewi Nant Hodni ac fe gafodd yr adeilad mawr presennol ei godi tua 1200. Mae llawer o'r bwâu Gothig yn sefyll o hyd. Maent yn ein hatgoffa pa mor gyfoethog oedd teulu de Lacey, noddwyr y priordy drwy'r Oesoedd Canol. Roedden nhw'n berchen ar lawer o stadau yn ne-ddwyrain Cymru ac Iwerddon.

Nid y gynnau yn y coed oedd yr unig beth i darfu ar dawelwch a sancteiddrwydd Llanddewi Nant Hodni y prynhawn hwnnw. Cyrhaeddodd dau neu dri char yn llawn o bobl yn gwisgo siwt a thei du. Fe ddaethon nhw allan o'r car yn canu, gweiddi a rhegi. Mae'n rhaid eu bod yn cadw gwylnos ar ôl claddu ffrind neu aelod o'r teulu, ac i mewn â nhw i'r Abbey Hotel. Mae'r gwesty rhyfedd hwn o'r 19eg ganrif yn pwyso ar furiau'r hen briordy, ac roedd arwydd mawr y tu allan iddo – *Bar open all day.* Ond dyna ni, mae'n siŵr bod y brodyr Awstinaidd yn cael tropyn o

win ac ychydig o gwrw weithiau.

Mae gennych ddau ddewis i orffen y daith. Fe allech chi ddilyn y ffordd i fyny Dyffryn Ewas i Gapel-y-ffin ac yna ymlaen i'r Gelli Gandryll. Fel arall ewch i lawr y dyffryn at yr A465 i ymweld â'r Fenni.

Eglwys fechan wen ym mhen Dyffryn Ewas ydy **Capel-y-ffin**, yn cysgodi o dan goed yw. Mae awyrgylch hynafol iawn y tu mewn iddi, yn enwedig ar ddiwrnod oer yn y gaeaf. Mae llefydd unig yn denu pobl od yn aml. Daeth clerigwr Anglicanaidd o'r enw J. L. Lyte yma ar ddiwedd y 19eg ganrif i sefydlu ei fynachlog ei hun. Rhoddodd y teitl 'Y Tad Ignatius' iddo fe ei hun a dechreuodd adeiladu mynachlog ar y llethrau uwchben Capel-y-ffin. Mae llawer o chwedlau amdano. Roedd ofn merched arno (dyn call iawn!), ac mae yna hanes ei fod yn bregethwr da iawn. 'Mi fyddwn i'n hapus iawn i roi £1,000 i'w glywed yn pregethu,' meddai un ffermwr am y Tad Ignatius. Mae'n rhaid ei fod yn ffermwr sanctaidd iawn. Does dim llawer o bobl a fyddai'n rhoi £1,000 i glywed pregeth heddiw. Roedd y Tad Ignatius hefyd, medden nhw, yn gwisgo clogyn mawr, fel y dylai mynach. Pan ddywedodd

Esgob Caerloyw wrtho am beidio â bod yn wirion, ac am dynnu ei glogyn, atebodd Ignatius ef, 'Pam na thynnwch chi eich clogyn. Rydych chi'n edrych yn wirionach fyth!'

Doedd yr ymgais i godi mynachlog ddim yn llwyddiannus. Pan fu farw Ignatius, dim ond tri mynach oedd ar ôl, ac fe aethon nhw i Ynys Bŷr yn Sir Benfro i dreulio gweddill eu dyddiau gyda chwmni o Frodyr Benedictaidd.

Fe allech chi fynd yn eich blaen o Gapel-y-ffin dros y Gospel Pass i'r Gelli. Yn ôl y chwedl fe ddaeth Sant Pedr a Sant Paul y ffordd hon i bregethu'r efengyl i lwyth y Silwriaid. Mae llawer o ferlod mynydd yn crwydro ar lethrau'r Mynyddoedd Du yn y fan hyn. Mae digon o lefydd i chi barcio'r car er mwyn edrych ar y merlod cyn i chi yrru i lawr i'r Gelli.

BWYD

1. The Skirrid Inn, Llanfihangel Crucornau (oddi ar yr A465, 6 milltir i'r gogledd o'r Fenni, ar waelod Dyffryn Ewas). 0873 890258.
2. The Hen & Chickens, Flannel Street, Y Fenni. 0873 853613.

GEIRFA

gwirion	silly
yn wirionach fyth	sillier still
ymgais	attempt
llwyddiannus	successful
pan fu farw . . .	when . . . died
Ynys Bŷr	Caldy Island
gweddill	rest, remainder
efengyl	gospel
llwyth	tribe
Silwriaid	Silurians
merlod	ponies

CYFLWYNIAD I DEITHIAU NAW A DEG

GEIRFA

adnabod	to know, to recognize
yn sicr i chi	for sure
ymestyn	to stretch
Niwgwl	Newgale
Dinbych-y-pysgod	Tenby
gwahanu	to separate
ers	since
fyth oddi ar	ever since
Hwlffordd	Haverfordwest
Aberdaugleddau	Milford Haven
pobl ddŵad	incomers
ar ben hynny	on top of that
synnu	to surprise
heidio	to throng
cyn-hanes	pre-history
hud a lledrith	magic
eglwys gadeiriol	cathedral
arfordir	coastline
golygfa (golygfeydd)	view(s)
tafodiaith	dialect
sain	sound
manteisio	to take advantage of
cyfle	opportunity
gwas priodas	best man
brodorion	natives

Mae llinell hir yn croesi'r rhan o Ddyfed sy'n cael ei hadnabod fel Sir Benfro. Fedrwch chi ddim gweld y llinell, ond mae hi yno, yn sicr i chi. Mae'r llinell hon yn ymestyn o Niwgwl, i'r dwyrain o Dyddewi, i Amroth, i'r gorllewin o Ddinbych-y-pysgod. Y *Landsker* ydy enw'r llinell, ac mae hi'n gwahanu *The Little England Beyond Wales* oddi wrth weddill Sir Benfro. Mae'r *Landsker* yma ers i'r Normaniaid lanio yn y rhan hon o Gymru yn yr 11eg ganrif. Fyth oddi ar hynny, mae'r Normaniaid, neu'r Saeson, yn byw i'r de o'r llinell ac mae'r Cymry'n byw yng ngogledd Sir Benfro. Ond dydy hi ddim mor syml â hynny erbyn heddiw. Mae llawer o bobl a phlant yn dysgu Cymraeg yn Hwlffordd, Aberdaugleddau a Phenfro, yn yr ysgolion ac mewn dosbarthiadau nos. I'r gogledd o'r *Landsker* mae llawer o bobl-ddŵad wedi prynu tai haf; mae eraill wedi dod yma i ymddeol, ac mae rhai teuluoedd ifanc wedi dod i ogledd Sir Benfro i fagu plant. Ar ben hynny mae miloedd o bobl yn dod yma ar eu gwyliau bob blwyddyn.

Yn wir, dydy hi ddim yn fy synnu i fod pobl yn heidio o bob man i Sir Benfro. Mae popeth yma; môr a mynydd, hanes a chyn-hanes, hud a lledrith, y Mabinogi, eglwys gadeiriol a dwsinau o eglwysi diddorol eraill, llwybr ar hyd yr arfordir, byd natur cyfoethog, golygfeydd, ac wrth gwrs y bobl. Ie, y bobl. Dyna i chi bobl ryfedd. 'Gwlad y wes wes' meddai rhai pobl am Sir Benfro. Pam 'wes wes'? Yn nhafodiaith Sir Benfro mae'r sain -oe yn mynd yn -we. Felly mae oes yn mynd yn wes, coed yn cwed ac oedd yn wedd. Dyna sy'n rhoi brawddeg fel 'wedd hi'n wer yn y cwed ddwe' ('roedd hi'n oer yn y coed ddoe'). Ers i mi aros gyda 'nghefnder a 'nghyfnither ym Maen-clochog pan oeddwn yn bump oed, rwy'n hoff iawn o bobl Sir Benfro ac rwy'n manteisio ar bob cyfle posibl i ddod yma. Mae teulu fy ngwas priodas yn cadw'r Siop Lyfrau yn Nhrefdraeth. Maen nhw wedi rhoi'r cyfle i mi grwydro Sir Benfro yng nghwmni brodorion. Felly dewch gyda mi ar ddwy daith i weld rhai o'r llefydd sydd wedi gwneud Sir Benfro yn enwog.

TAITH NAW

Abergwaun ydy man cychwyn y ddwy daith. Mae miloedd o bobl yn hwylio i Iwerddon o borthladd Wdig bob blwyddyn, a dyna sy'n gwneud y lle yn enwog i'r rhan fwyaf o bobl. Ond i'r Cymry Cymraeg, mae Abergwaun yn cael ei gysylltu yn aml iawn â D. J. Williams (1885-1970). Er mai yn Rhydcymerau yn Sir Gaerfyrddin y cafodd D. J. Williams ei eni, fe fuodd e'n byw am y rhan fwyaf o'i oes yn hen dafarn y Bristol Trader yn 49 Heol Fawr,

Abergwaun. (Does dim byd arbennig i'w weld yno nawr. The Old Pump House ydy'r enw ar y tŷ heddiw.) Athro Saesneg yn Ysgol Ramadeg Abergwaun oedd D.J. Ond pam mae e'n enwog? Roedd e'n awdur poblogaidd. Fe ysgrifennodd e lawer o storïau am bobl ei filltir sgwâr, Rhydcymerau. Roedd e hefyd yn un o aelodau mwyaf enwog y Blaid Genedlaethol, Plaid Cymru. Roedd e'n arfer teithio llawer iawn o gwmpas Cymru, er nad oedd e'n gallu gyrru

GEIRFA

Abergwaun	Fishguard
man cychwyn	starting point
hwylio	to sail
porthladd	port
Wdig	Goodwick
cysylltu	to connect, to link
er mai	although it was
plaid	party
er nad oedd e'n gallu	although he could not
llethr	slope

GWEITHGAREDDAU

1. Llethr Sgio Gwersyll yr Urdd, Llangrannog. 0239 654473. Agored bob nos a phrynhawn dydd Sul.

BWYD

1. Trewern Arms, Nanhyfer. 0239 820395.
2. Tafarn Sinc, Rosebush. 0437 532214.

car, i siarad mewn cyfarfodydd cyhoeddus a gwerthu cylchgrawn Plaid Cymru, *Y Ddraig Goch* o ddrws i ddrws. D. J. oedd un o'r tri gŵr enwog a losgodd yr Ysgol Fomio ym Mhenyberth, Pen Llŷn yn 1936. Mae hanes llosgi'r Ysgol Fomio yn Nhaith Tri ac fe allwch chi ddarllen mwy am hanes D. J. Williams yn y gyfrol *Bro a Bywyd*.

Fe allwch chi dreulio awr ddymunol iawn yn crwydro strydoedd Abergwaun. Ewch i'r Royal Oak ar y sgwâr. Yn y dafarn hon y cafodd cytundeb ei arwyddo yn ystod cyrch olaf y Ffrancwyr ar Brydain yn 1797. Mae'r bwrdd y cafodd y cytundeb ei arwyddo arno yno hyd heddiw.

Dilynwch y B4313 o Abergwaun i gyfeiriad bryniau Preseli. O'r sgwâr ewch i gyfeiriad Aberteifi am 100 llath. Trowch ar y dde a chymryd y tro cyntaf ar y chwith. Ymhen wyth milltir a hanner fe ddewch chi at groesffordd Tafarn Newydd. Ewch yn syth ymlaen, ac ymhen un filltir fe welwch chi arwydd **Rosebush** ar y chwith. Mae'r enw wedi cael ei Seisnigeiddio o Rhos-y-bwlch. Doedd y Saeson a ddaeth i weithio yn y chwareli ddim yn gallu dweud *bwlch*, felly aeth *bwlch* yn *bush*. Ewch i fyny'r

Harbwr Abergwaun (Bwrdd Croeso Cymru)

ffordd hon i weld y **Dafarn Sinc** (SN 075/295), tafarn hynod iawn. Fe welwch chi pam yn ddigon sydyn. Wrth i chi gerdded i mewn i'r dafarn hon, efallai y byddwch yn meddwl eich bod wedi cyrraedd un o *saloons* y gorllewin gwyllt. Ond Cymry sy'n bwyta ac yn yfed yma, a dodrefn Cymreig sy'n llenwi'r dafarn. Yn wir, ar ôl i chi eistedd i lawr, fe fyddwch chi'n gweld eich bod mewn ystafell gartrefol sy'n debyg i hen gegin Gymreig. Pren sy ar y llawr a phren sy'n bwydo fflamau'r tân; mae hen bosteri ar y waliau a chig yn hongian o'r nenfwd. Cymry lleol ydy'r perchenogion, ac fe gewch chi groeso cynnes. Cymry lleol ydy llawer o'r cwsmeriaid hefyd, ac maen nhw'n dweud bod yna ganu da o gwmpas y piano ar nos Wener a nos Sadwrn. Mae'r Precelly Hotel (enw swyddogol y dafarn tan 1991) yn sefyll ar fin Rheilffordd Maenclochog. Roedd llechi'n cael eu cludo o'r chwarel a oedd yma ar ddiwedd y ganrif ddiwethaf i orsaf Narberth Road er mwyn ymuno â lein y G.W.R.. Mae'r platfform yno o hyd, ac yn yr haf mi fedrwch chi eistedd ar fainc ar y platfform i fwyta ac yfed. Fe ddes i yma am y tro cyntaf yn ystod Eisteddfod Abergwaun yn 1986 pan oedd gwraig o'r enw Pegi Lewis yn cadw'r dafarn. Bellach mae hi wedi marw, ac ar ôl i'r dafarn fod ynghau am flwyddyn cafodd ei hailagor gan y perchenogion newydd yn 1992. Maen nhw'n gwneud bwyd cartref yn yr haf ac yn agored o hanner dydd hyd un ar ddeg y nos. Dim ond fin nos maen nhw'n agored yn y gaeaf (ac amser cinio dydd Sadwrn a dydd Sul).

Os gallwch chi dynnu eich hunan oddi wrth y cwmni braf yn y Dafarn Sinc, dewch gyda mi dros fryniau Preseli. Ewch yn ôl at y B4313 a throwch ar y chwith. Ymhen hanner milltir, trowch ar y chwith eto i gyfeiriad Crymych. Ymhen pedair milltir, cyn i chi gyrraedd pentref **Mynachlog-ddu**, fe welwch chi faen hir ar ochr chwith y ffordd. Gyferbyn â'r maen hir, ar ochr dde y ffordd, mae cofeb i'r bardd Waldo Williams (1904-71) (SN 137/303). Roedd e'n byw ym Mynachlog-ddu pan oedd e'n blentyn. Tad y bardd oedd prifathro ysgol y pentref. Mae llawer o bobl yn meddwl mai Waldo ydy bardd gorau Cymru yn y ganrif hon. Cafodd yr ardal Gymreig hon ddylanwad mawr ar y bardd, ac mae e'n dangos hynny yn y llinellau hyn o'r gerdd 'Preseli':

Mur fy mebyd, Foel Drigarn, Carn Gyfrwy,
                Tal Mynydd,
Wrth fy nghefn ym mhob annibyniaeth
                barn . . .
. . . Hon oedd fy ffenestr, y cynaeafu a'r
                cneifio.
Mi welais drefn yn fy mhalas draw.
Mae rhu, mae rhaib drwy'r fforest ddi-
                ffenestr.

GEIRFA

tebyg	similar, like
pren	wood
bwydo	to feed
nenfwd	ceiling
perchennog (perchen -ogion)	owner(s)
swyddogol	official
ar fin y rheilffordd	on the edge of the railway
llechi	slates
cludo	to carry
chwarel	quarry
er mwyn	in order to
ymuno	to join
mainc	bench
o'r enw	by the name of
bellach	by now
ynghau	shut
ailagor	to reopen
bwyd cartref	home-made food
fin nos	in the evenings
tynnu	to pull, to drag
maen	stone
cofeb	memorial
dylanwad	influence
mur	wall
mebyd	youth
annibyniaeth barn	independence of judgement
y cynaeafu	the harvesting
a'r cneifio	and the shearing
trefn	order, structure
draw	over there
rhu	roar
rhaib	greed, looting

GEIRFA

cadwn	let us keep
rhag	from
bwystfil	beast
ffynnon	well, spring
baw	filth, dirt
yn sicr	certainly
heddychwr	pacifist
cosb	punishment
gleision	plural of glas
Côr y Cewri	Stonehenge
tystiolaeth	evidence
camfa	stile
tafodiaith	dialect
llwybr ceffyl	bridle path
ymddangos	to appear
gorwel	horizon
chwyddwydr	magnifying glass
cytuno	to agree
dyfais (dyfeisiadau)	invention(s), device(s)
Môr Hafren	Bristol Channel
Hafren	Severn

Cadwn y mur rhag y bwystfil, cadwn y
ffynnon rhag y baw.

(o *Dail Pren*)

Roedd Waldo yn sicr yn annibynnol ei farn. Achos ei fod yn heddychwr, fe wrthododd e dalu treth incwm fel protest yn erbyn y rhyfel yn Korea. Fel cosb am hynny, bu'n rhaid iddo fe fynd i'r carchar ddwywaith, yn 1960 ac 1961. Mae cofeb i Waldo Williams yn agos i'r pentref.

Gyda'ch cefn at gofeb Waldo edrychwch i fyny tua bryniau Preseli ar **Garn Meini** (SN143/324). Aeth cerrig gleision mawr o'r fan hon i Gôr y Cewri rai miloedd o flynyddoedd yn ôl. Ond sut? Reit. Chi ydy Sherlock Holmes am y dydd. Ewch yno i weld y dystiolaeth. Bydd yn rhaid i chi yrru'r car allan o Fynachlog-ddu i gyfeiriad Crymych am 1.8 milltir a cherdded i fyny'r bryn. Fe welwch chi arwydd llwybr cyhoeddus ar y chwith. Gadewch y car yma a dilynwch y llwybr at y gamfa (stilin yn nhafodiaith Sir Benfro). Dringwch dros y gamfa a dilynwch y llwybr ceffyl ar hyd ymyl y goedwig am tua hanner awr. Fe welwch chi Garn Gyfrwy yn ymddangos ar y gorwel, ac mae Carn Meini (Carn-menyn ar fap yr OS) y tu ôl iddi. Cofiwch ddod â'r chwyddwydr gyda chi! Edrychwch ar y cerrig gleision. Mae pawb yn cytuno mai'r un cerrig sydd yng Nghôr y Cewri. Mae rhai pobl yn dweud eu bod nhw wedi cael eu cario gan bobl o Gôr y Cewri 5,000 o flynyddoedd yn ôl. Fe ddefnyddion nhw bob math o ddyfeisiadau peirianyddol i'w cario nhw. Mae archaeolegwyr eraill yn dweud bod yr iâ wedi cario'r cerrig i lawr i Fôr Hafren. Pa stori sy'n wir? Pa stori ydych chi'n ei chredu? Dewch o hyd i dystiolaeth, ac anfonwch atebion ar gerdyn post.

Canolfan Pentre Ifan (Urdd Gobaith Cymru)

Ar ôl i chi ddod yn ôl i lawr i'r car, tynnwch eich cap a'ch clogyn, rhowch y chwyddwydr i'w gadw, a gyrrwch yn eich blaen i **Grymych**. Un o'r pethau sydd wedi gwneud Crymych yn enwog yn ddiweddar ydy Aelwyd yr Urdd. Mae Aelwyd Crymych yn cystadlu yn Eisteddfod yr Urdd bob blwyddyn, ac maen nhw'n ennill cystadleuaeth y Noson Lawen yn aml. Maen nhw'n teithio ar hyd a lled Cymru i gynnal nosweithiau llawen. Mae'n dda gweld pobl ifanc yn cael y cyfle i fwynhau y Gymraeg fel iaith fyw yn eu cymuned. Os oes angen petrol arnoch chi, ewch i'r garej Texaco yng nghanol Crymych. Bydd Peter John yn barod iawn i'ch helpu chi. Mynnwch sgwrs gydag ef. Bydd e'n gallu dweud llawer wrthych chi am bobl yr ardal. Fydd e ddim yn siarad Saesneg â chi chwaith! Y drws nesaf i'r garej mae Siop Siân sy'n gwerthu llyfrau, caset-iau a chardiau Cymraeg. Fel y gwel-wch chi, mae'r stryd yng nghanol Crymych yn llydan iawn. Dyna pam maen nhw'n galw dynion Crymych yn Cowbois Crymych.

Ewch ar gefn eich ceffyl a gadewch y Cowbois er mwyn gweld **Cromlech Pentre Ifan** (SN 099/370). Trowch ar y dde yng nghanol Crymych o flaen y Crymych Arms Hotel a dilynwch y ffordd gefn drwy'r Eglwys Wen i Ffynnon Groes. Yn Ffynnon Groes, ewch yn syth ar draws y groesffordd, ac ymhen dwy filltir trowch i'r chwith. Dilynwch yr arwydd at y gromlech. Mae digon o le i barcio'r car yma.

Mae cromlech Pentre Ifan yn sefyll wrth droed Carn Ingli fel tyst i hen, hen hanes. Pwy gladdwyd yma bedair mil o flynyddoedd yn ôl? Mae'n rhaid ei fod yn dywysog grymus iawn i haeddu cromlech mor fawr. Cafodd y safle ei gloddio yn 1936 ac 1958 ac fe ddaethon nhw o hyd i grochen-waith o'r oes Neolithig. Mae Pentre Ifan wedi rhoi ei enw i ganolfan sydd wedi cael ei hagor gan Urdd Gobaith Cymru yn yr ardal hon. Mae grwpiau ieuenctid ar draws Cymru yn aros yno er mwyn astudio'r amgylchfyd, mwynhau byd natur a dod i adnabod bro mor braf.

O'r byd paganaidd i'r byd Crist-nogol. Fe awn ni i **Nanhyfer** ar lan afon Nyfer. Ewch yn ôl i lawr y bryn o Bentre Ifan, a throwch ar y chwith. Dilynwch y ffordd hon i lawr at yr A487. (Cofiwch gymryd y tro cyntaf ar y dde ar ôl mynd heibio i Ganolfan Pentre Ifan.) Ewch yn syth ar draws y ffordd fawr ac i lawr y bryn am filltir i

GEIRFA

clogyn	cloak
i'w gadw	away, to keep
yn ddiweddar	recently
aelwyd = clwb pobl ifainc dan Urdd Gobaith Cymru	
noson lawen = noson o ganu, dawnsio a hwyl	
ar hyd a lled	all over
cymuned	community
mynnwch	have
(y)chwaith	either
fel y gwelwch chi	as you see
llydan	wide
gadewch	leave
tyst	witness
claddu	to bury
grymus	powerful
haeddu	to deserve
safle	site
cloddio	to dig up, to excavate
crochenwaith	pottery
oes	age
ieuenctid	youth
amgylchfyd	environment
bro	area

G E I R F A

cymeriad(au)	character(s)
pererindod	pilgrimage
pererin(ion)	pilgrim(s)
gweddïo	to pray
penlinio	to kneel
pader	Lord's Prayer
mynwent	graveyard
ywen	yew
gwaedu	to bleed
gwaedlyd	bloody, bleeding
hylif	liquid
traddodiad	tradition
ers	since
plwyf	parish
crogi	to hang
ar gam	wrongly, unjustly
edmygu	to admire
porth	porch
addurn(iadau)	decoration(s)
ychwanegiad	addition
diweddar	recent
maen	stone
ogam = hen ffordd Wyddelig o ysgrifennu wedi'i seilio ar yr wyddor Ladin	
nid . . . yn unig	it's not only . . .
addoli	to worship
clên	friendly

Nanhyfer. Y peth cyntaf a welwch chi wrth ddod i mewn i'r pentref ydy'r **Trewern Arms**. Mae hon yn dafarn Gymreig dda i gael bwyd a diod a chyfarfod â rhai o gymeriadau'r ardal. Ond peidiwch ag aros yn hir yn y dafarn. Ar bererindod ydyn ni; pererindod i **Eglwys Sant Brynach**, Nanhyfer. Parciwch y car ger yr eglwys, ond cyn mynd i mewn i'r eglwys, cerddwch i fyny'r bryn i weld **Croes y Pererinion**. Pan oedd pobl yn arfer mynd ar bererindod i Dyddewi, roedden nhw'n aros i weddïo o flaen y groes hon. Mae lle yn y graig o dan y groes i benlinio er mwyn gweddïo. Ar ôl i chi ddweud eich pader, cerddwch yn ôl i'r gwaelod ac ewch i mewn i'r fynwent. Mae coeden ywen yn tyfu ym mhob mynwent, ond mae rhywbeth arbennig am yr ywen ym mynwent Nanhyfer. Mae hi'n gwaedu. Dyna sut mae hi wedi cael yr enw Ywen Waedlyd. Fe welwch chi'r ywen ar yr ochr dde wrth ddod i mewn i'r fynwent. Resin ydy'r hylif coch sy'n dod allan o'r ywen, ond mae llawer o storïau amdano. Yn ôl y traddodiad, mae'r ywen wedi gwaedu bob dydd ers i ddyn o'r plwyf gael ei grogi ar gam. Yna edmygwch Groes Sant Brynach,

o'r 10fed ganrif, ar yr ochr dde i borth yr eglwys. Mae addurniadau Celtaidd hardd iawn arni hi. Ychwanegiad mwy diweddar ydy'r groes Gristnogol ar ben y maen. Ewch i mewn i'r eglwys hefyd a rhowch gynnig ar ddarllen yr ysgrifen ogam ar garreg Maelgwyn o dan y ffenest ar yr ochr dde. Ond cofiwch, nid pethau'r gorffennol yn unig sydd yn yr eglwys hon. Mae pobl yn dal i ddod yma heddiw i addoli'r Duw byw.

Ar ôl diwrnod hir o deithio, rwy'n siŵr eich bod chi'n barod i fynd adref. Ond beth am aros dros nos yn un o westai neu dafarndai clên Sir Benfro? Yna fe allwch chi ddod gyda fi ar daith arall yfory i'r de o Abergwaun. Nos da. Cysgwch yn dawel.

TAITH DEG

Mae stamp Iwerddon ar Sir Benfro. Mae hynny'n sicr. Mae cwch modern yn cludo pobl a cheir mewn tair awr a hanner o Abergwaun i Ros Lair heddiw, ond mae'r cysylltiad ag Iwerddon yn mynd yn ôl yn bell, bell. Meddyliwch am rai o'r enwau lleol: pentref o'r enw Trewyddel, ffarm o'r enw Lleitir ar lafar, (gair Gwyddeleg sy'n golygu llethr), a'r gair mwni. Mae yna ffermo'r new Tremwni, a'r un gair sydd yn y Mynydd Du. Parc, cae, tir wedi'i aredig ydy ystyr mwni yn ôl E. Llwyd Williams. A beth am y bobl a gododd Gromlech Pentre Ifan a'r holl olion eraill o Oes yr Haearn? Mae'n rhaid bod ganddyn nhw gysylltiad ag Iwerddon hefyd. Mae cymaint o gromlechi tebyg yn Iwerddon. Yn ôl yr hanes roedd Gwyddelod yn Sir Benfro pan sefydlodd Dewi Sant fynachlog yn **Nhyddewi** yn y 6ed ganrif. Mae miloedd o bobl wedi bod ar bererindod i Dyddewi ers i Dewi gael ei gydnabod yn sant yn 1120. Maen nhw'n dweud bod dwy bererindod i Dyddewi yn werth cymaint ag un i Rufain, felly fe awn ninnau ar daith o **Abergwaun** i ddinas leiaf Cymru. Fe allwn ni aros ar y ffordd i weld rhai llefydd diddorol.

Gyrrwch i lawr o Abergwaun i Wdig. Ar y cylchdro wrth ymyl y porthladd, ewch yn syth ymlaen a dringwch i fyny'r bryn allan o Wdig. Dilynwch y ffordd fechan hon am bedair milltir a hanner i **Bwll Deri** (SM

GEIRFA

sicr	certain
ar lafar	in spoken Welsh
Trewyddel = Tre +	
Gwyddel	Irishman
Gwyddeleg	Irish
golygu	to mean
llethr	slope
aredig	to plough
ôl (olion)	trace(s)
Oes yr Haearn	Iron Age
yn ôl	according to
sefydlu	to found
mynachlog	monastery
pererindod	pilgrimage
Rhufain	Rome
fe awn ninnau	we'll go
Wdig	Goodwick
cylchdro	roundabout
porthladd	port

does dim rhyfedd	no wonder
arfordir	coast
golygfa (golygfeydd)	view(s)
glannau	coast
barn	opinion
cerdd	poem
moli	to praise
rown i'n ishte dŵe = rôn i'n eistedd ddoe	
eryr	eagle
arth	bear
bwci	evil spirit
'sda'r dinion = does gyda'r dynion	
taliedd	well-bred
fan co	over there
llefeleth	idea
dwnshwn	dungeon
drichid = edrych	
crochon	cauldron
llwydon	grey
stwceidi	milking pails
llâth = llaeth	
golchon	suds
cofeb	memorial, plaque
morlo (morloi)	seal(s)
i gyfeiriad	towards

892/387). Does dim rhyfedd bod cymaint o bobl yn dewis cerdded ar hyd Llwybr Arfordir Penfro. Mae'r golygfeydd yn fendigedig. Does dim lle gwell na glannau Sir Benfro, ac mae Pwllderi, yn fy marn i, cystal ag unrhyw ran arall o'r glannau. Gwrandewch ar enwau rhai o'r 'pyllau' eraill ar hyd y glannau hyn: Pwll Arian, Pwlldawnau, Pwllcrochan, Pwll Whiting, Pwll Llong a Phwll Olfa. Pwll Deri ydy'r mwyaf enwog ohonyn nhw, oherwydd fe ysgrifennodd y bardd Dewi Emrys (David Emrys James [1881-1952]) gerdd amdano. Mae'r gerdd hon wedi cael ei hysgrifennu yn nhafodiaith Sir Benfro. Mae hi'n anodd iawn i ddysgwyr a gogleddwyr! Cafodd y bardd ei fagu yn Rhosycaerau ger Pwll Deri, ac yn y gerdd hon, mae e'n moli ei 'gartref bach'. Dyma rai llinellau o'r gerdd:

'Rown i'n ishte dŵe uchben Pwllderi,
Hen gatre'r eryr a'r arth a'r bwci.
'Sda'r dinion taliedd fan co'n y dre
Ddim un llefeleth mor wyllt yw'r lle . . .

. . . 'Ry'ch chi'n sefill fry uwchben y dwnshwn,
A drichid i lawr i hen grochon dwfwn
A hwnnw'n berwi rhwng creigie llwydon
Fel stwceidi o lâth neu olchon sebon.
(o'r *Oxford Book of Welsh Verse*)

Enillodd Dewi Emrys gadair yr Eisteddfod Genedlaethol ym Mhen-y-bont ar Ogwr yn 1948. Mae cofeb fechan iddo fe ar ochr y llwybr sy'n mynd i lawr o'r Hostel Ieuenctid at y môr.

Rwy'n cofio treulio prynhawn ym Mhwll Deri un Gorffennaf poeth, ac roedd morloi yn gorwedd ar y traeth. Ond mae hi'n gallu bod yn stormus iawn yma yn y gaeaf.

Dilynwch y ffyrdd cefn i'r A487 er mwyn teithio ymlaen i gyfeiriad Tyddewi. Mewn pentref o'r enw Square and Compass trowch ar y dde

Porth-gain (Wolfgang Greller)

Tyddewi (Wolfgang Greller)

i **Dre-fin**. Roedd melin yn arfer malu yn Nhre-fin, ac mae Cymru gyfan yn gwybod amdani, diolch i'r bardd Crwys (William Crwys Williams).

> Nid yw'r felin heno'n malu
> Yn Nhrefin ym min y môr,
> Trodd y merlyn olaf adre'
> Dan ei bwn o drothwy'r ddôr,
> Ac mae'r rhod fu gynt yn rhygnu,
> Ac yn chwyrnu drwy y fro,
> Er pan farw'r hen felinydd
> Wedi rhoi ei holaf dro.
>
> (o *Cerddi Crwys*)

Fe allwch chi weld olion y felin o hyd ar lan y môr. Os oes angen bwyd neu ddiod arnoch chi, ewch i'r unig dafarn sydd ar ôl yn Nhre-fin, y Ship.

Yn hytrach na mynd yn ôl i'r A487, ewch ymlaen tua'r de-orllewin i

Borth-gain. Fel y gwelwch chi, roedd diwydiant prysur yma ar un adeg. Roedd gwenithfaen a phriddfeini yn cael eu cludo oddi yma i Fryste a Lerpwl. Mae hi wedi bod yn dawel ers yr 1930au, ond dychmygwch y sŵn oedd yma erstalwm. Yn ôl yr hanes roedd 'cannoedd yn gweithio yma, ac ar brynhawn Sadwrn y tâl yr oedd y Gogleddwyr a'r Gwyddelod yn lluosocach yng Nghroes-goch na'r Deheuwyr.' Mae'n debyg fod Porth-gain yn llawn o bobl o Lanberis, Bethesda a'r Felinheli. Efallai yr hoffech chi fynd i dafarn hynafol y Sloop, tafarn fechan yn llawn cymeriad a chymeriadau.

Ewch yn ôl i'r A487 yng Nghroes-goch a gyrrwch heb stopio i **Dyddewi**. Wrth i chi yrru i mewn i'r ddinas, welwch chi ddim golwg ar yr **Eglwys Gadeiriol**, oni bai eich bod yn gallu gweld tŵr yr eglwys yn codi ar y dde i chi. Ond wrth i chi gerdded i lawr o'r sgwâr drwy'r pyrth canoloesol fe welwch chi'r eglwys fawr a Phlas yr Esgob y tu ôl iddi. Cerddwch i lawr y 39 gris (un gris am bob un o erthyglau Credo'r Eglwys) ac ewch i

GEIRFA

malu	to grind (corn)
nid yw'r = dydy'r . . .	ddim
ym min	at the edge of
merlyn	pony
pwn	pack
trothwy'r ddôr	doorstep
rhod	wheel
rhygnu	to make a grinding noise
chwyrnu	to roar
er pan farw . . .	ever since . . . died
ei holaf dro	its last turn
yn hytrach na	rather than
gwenithfaen	granite
priddfeini	bricks
dychmygu	imagine
erstalwm	years ago
y tâl	pay, wages
lluosocach	more numerous
Deheuwyr	South Walians
hynafol	ancient
cymeriad(au)	character(s)
golwg	sight
oni bai	unless
porth (pyrth)	gate(s), gateway
cell(oedd)	cell(s)
canoloesol	medieval
Plas/Palas	Palace
erthygl(au)	article(s)

GEIRFA

a godwyd	which was built
ers hynny	since then
rhyfeddu	to wonder, to marvel
llonydd	still
nenfwd	ceiling
pren	wooden
plwm	lead
gwthio	to push
er eich bod	although you are
eglwys gadeiriol	cathedral
naws	atmosphere
treulio	to spend (time)
oes	life, age
cell(oedd)	cell(s)
torf	crowd
bryncyn	hillock
asgwrn (esgyrn)	bone(s)
Archesgob	Archbishop
Croesgad(au)	Crusade(s)
Maenorbŷr	Manorbier
nai	nephew
cynnig	to propose, to offer
gwrthod	to reject, to refuse
Pab	Pope
diwygio	to reform
arolwg	survey

mewn i'r eglwys. Rydych chi'n sefyll nawr yn yr ail eglwys a godwyd yn Nhyddewi. Cafodd yr eglwys gyntaf, a godwyd yn y 6ed ganrif, ei llosgi yn 1182. Cafodd eglwys newydd ei chodi yn y 13eg ganrif ac mae llawer o waith wedi cael ei wneud ar yr adeilad ym mhob canrif ers hynny. Cymerwch eich amser i grwydro o gwmpas yr adeilad hardd, i ryfeddu a bod yn llonydd. Edrychwch i fyny ar y nenfwd pren hardd. Mae llawer o bwysau yn y plwm sydd yn y to. Dyna pam mae waliau'r eglwys wedi cael eu gwthio allan rhyw ychydig bach. Fe welwch chi'r waliau'n pwyso allan wrth i chi edrych i fyny. Cerddwch i ben draw'r eglwys ac fe welwch chi **Gapel Mair**. Yno mae'r gwasanaethau Cymraeg yn cael eu cynnal ar fore dydd Sul. Bues i yno fwy nag unwaith. Er eich bod mewn eglwys gadeiriol, mae naws eglwys fach y wlad yng Nghapel Mair; mae pawb yn rhoi croeso mor gynnes i chi.

Mae'n debyg bod Dewi Sant wedi treulio y rhan fwyaf o'i oes yn teithio o gwmpas de Cymru yn sefydlu eglwysi neu 'gelloedd' Cristnogol. Mae stori enwog iawn amdano yn pregethu yn Llanddewibrefi. Doedd Dewi ddim yn dal, ac felly doedd y dorf ddim yn gallu ei weld e'n dda iawn. Yn ôl y stori, fe roddodd Dewi hances ar y ddaear, ac ar ôl iddo weddïo fe gododd y tir a oedd o dan yr hances. Safodd Dewi ar y bryncyn ac roedd pawb yn gallu ei weld a'i glywed yn pregethu.

Maen nhw'n dweud bod esgyrn Dewi Sant yn gorwedd yn yr eglwys, ac mae Gerallt Gymro neu Giraldus Cambrensis (c.1146-1223) yn gorwedd yma hefyd. Mae e'n enwog am ysgrifennu *Itinerarium Kambriae* (Hanes y Daith drwy Gymru) yn disgrifio'i daith gyda'r Archesgob Baldwin i geisio perswadio'r Cymry i fynd i ymladd yn y Croesgadau. Cafodd ei eni yng nghastell Maenorbŷr ger Tyddewi. Roedd Gerallt yn nai i Esgob Tyddewi, ac fe gafodd enw Gerallt ei gynnig fel Esgob Tyddewi fwy nag unwaith, ond cafodd ei wrthod gan Frenin Lloegr a'r Pab. Mae'n debyg fod arno eisiau diwygio'r eglwys ac roedd yn Gymro cadarn. Doedd y Brenin a'r Pab ddim yn croesawu'r pethau hynny.

Mae'n werth i chi groesi'r afon i ymweld â Phlas yr Esgob hefyd. Nid pobl dlawd oedd esgobion Tyddewi. Roedd ganddyn nhw lawer o diroedd. Yn ôl arolwg o'r enw Llyfr Du Tyddewi, fe gafodd esgob Tyddewi incwm o £333 o'i diroedd yn 1326. Does dim rhyfedd felly ei fod yn gallu byw mewn palas mor fawr. Mae'r adeilad yng ngofal Cadw erbyn heddiw. Mae'n rhaid i chi dalu i fynd i mewn, ond os oes gyda chi amser, mae'n werth yr arian.

Mae'n pererindod ni'n dod i ben mewn bae bychan o'r enw **Bae Santes Non** ychydig y tu allan i Dyddewi. Dilynwch yr arwydd am Gapel a Ffynnon St. Non o ganol Tyddewi. Non oedd mam Dewi Sant ac, yn ôl y traddodiad, yma y cafodd Dewi Sant ei eni. Mae ffynnon sanctaidd a **Chapel Non** (SM 752/243) yma o hyd. Y capel hwn oedd y pwysicaf o'r capeli yn yr ardal yr oedd y pererinion yn ymweld â nhw yn yr Oesoedd Canol.

Cyn i chi droi am adref, trowch drwyn y car i **Borth Glais** (SM 742/241). Bydd yn rhaid i chi fynd yn ôl i ganol Tyddewi a dilyn yr arwyddion am filltir i lawr i Borth Glais. Mae'r bae hir a chul yn ffurfio porthladd naturiol, ac mae'n siŵr fod llawer o smyglwyr wedi bod yma erstalwm. Fe welwch chi **Lwybr Arfordir Penfro** unwaith eto yn y fan hon. Mae'r llwybr hwn yn dilyn arfordir Sir Benfro am

180 milltir, o Landudoch yn y gogledd i Amroth yn y de. Mae'n bosib bod rhan orau'r llwybr rhwng Porth Glais a Phorth Mawr. Mae cymaint o greigiau dramatig, planhigion a chreaduriaid o bob math ac mae golygfeydd gwych ar Ynys Dewi. Mae Porth Glais yn

Y Twrch Trwyth. Cynllun oddi ar un o grysau T Rhiannon, Tregaron, Dyfed.

enwog gan fod y Twrch Trwyth yn chwedl Culhwch ac Olwen yn y Mabinogi wedi glanio yma ar ôl nofio o Iwerddon.

Pwy neu beth oedd y Twrch Trwyth? Mae'n well i ni ddechrau yn y dechrau. Mochyn gwyllt oedd y creadur rhyfedd hwn. Roedd tywysog ifanc o'r enw Culhwch mewn cariad gydag Olwen, merch cawr cas o'r

GEIRFA

bae	bay
ffynnon	well, spring
sanctaidd	sacred, blessed
yr ardal yr oedd y Llandudoch	the area which the St. Dogmaels
planhigyn (planhigion)	plant(s)
chwedl	tale
glanio	to land
twrch (tyrchod)	boar(s)
cawr (cewri)	giant(s)

GWEITHGAREDDAU

1. Llwybr Arfordir Sir Benfro.
2. Canolfan Bywyd Môr Tyddewi (St David's Marine Life Centre). 0437 721665.

BWYD

1. The Ship Inn, Tre-fin. 0348 831445.
2. The Sloop, Porth-gain. 0348 831449.

GEIRFA

er nad oedd e erioed wedi . . .	although he had never . . .
llys-fam	step-mother
tyngu	to swear an oath
caniatâd	permission
crib	comb
ellyn	razor
gwellau	scissors
llanastr	chaos, destruction
ymhlith	amongst
brwydr	battle
marchog(ion)	knight(s)
Cernyw	Cornwall
brwydro	to fight
oddi arno fe	off him
cymar oes	life-time partner

enw Ysbyddaden Bencawr, er nad oedd e erioed wedi cyfarfod ag Olwen. Roedd llys-fam Culhwch wedi tyngu na fyddai Culhwch yn gorwedd gydag un wraig arall ond Olwen. Cyn i Culhwch gael caniatâd Ysbyddaden Bencawr i briodi Olwen, roedd yn rhaid iddo fe wneud nifer o 'anoethau' neu dasgau anodd iawn. Roedd yn rhaid i Culhwch ddwyn y crib, yr ellyn a'r gwellau a oedd rhwng clustiau'r Twrch Trwyth. Cafodd Culhwch help gan y Brenin Arthur a'i farchogion i wneud y dasg amhosibl ac fe aethon nhw i Iwerddon lle roedd y Twrch Trwyth yn byw. (Roedd y twrch wedi bod yn un o frenhinoedd Iwerddon.) Gwrthododd y Twrch Trwyth roi'r crib, yr ellyn a'r gwellau i Arthur ac fe nofiodd e ar draws y môr i Gymru, ac fe laniodd e ym Mhorth Glais a dechrau ymosod ar y bobl leol. Erbyn i Arthur a'i farchogion ddod yn ôl roedd y Twrch Trwyth wedi gwneud llanastr mawr ymhlith y bobl. Fe redon nhw ar ôl y Twrch Trwyth i fryniau Preseli. Fe gawson nhw frwydr fawr ac fe gafodd pedwar o farchogion Arthur eu lladd. Yn y diwedd, ar ôl dilyn y Twrch Trwyth i Gernyw, ac ar ôl llawer o frwydro, fe lwyddodd y Brenin Arthur i ddwyn y crib, yr ellyn a'r gwellau oddi arno fe. Defnyddiodd Arthur nhw i dorri gwallt Culhwch, yna fe helpodd Arthur Culhwch i ladd Ysbyddaden Bencawr, tad Olwen. Cysgodd Culhwch gydag Olwen y noson honno, a dyna hanes Culhwch yn ennill Olwen, merch Ysbyddaden Bencawr.

Cysgwch yn dawel heno. Peidiwch â breuddwydio am gewri a thyrchod, ac os nad ydych chi wedi priodi eto, rwy'n gobeithio na fydd yn rhaid i chi fynd i'r fath drafferth i ddod o hyd i gymar oes.